DOMAINE FRANÇAIS

Editeur : Marie-Catherine Vacher

DES PHRASES COURTES,
MA CHÉRIE

DU MÊME AUTEUR

L'EXPÉDITION, Gallimard, 1999.

ALLONS-NOUS ÊTRE HEUREUX ?, Gallimard, 1994 (Folio n° 2890).

SAUVÉE !, Gallimard, 1993 (Folio n° 2413).

NOUS SOMMES ÉTERNELS, Gallimard, 1990 (Folio n° 2413) ; prix Femina.

MÉTAMORPHOSES DE LA REINE, Gallimard, 1984 (Folio n° 2183) ; Goncourt de la nouvelle.

LA FORTERESSE, Julliard, 1979.

HISTOIRE DU TABLEAU, Julliard, 1977 ; Gallimard, 1991 (Folio n° 2447).

HISTOIRE DU GOUFFRE ET DE LA LUNETTE, Julliard, 1976.

HISTOIRE DE LA CHAUVE-SOURIS (avant-propos de Julio Cortázar), Julliard, 1989 ; Gallimard, 1991 (Folio n° 2445).

Pour la jeunesse

TRINI A L'ÎLE DE PÂQUES, Gallimard Jeunesse, 1999.

TRINI FAIT DES VAGUES, Gallimard Jeunesse, 1997.

LA MAISON DES VOYAGES (avec Alain Wagneur), Gallimard Jeunesse, 1998 ; prix "Lire au collège", film la 5ᵉ et le CRDP.

MON FRÈRE AU DEGRÉ X, Ecole des loisirs, 1994.

LE CHEVAL FLAMME, Calmann-Lévy / Réunion des musées nationaux, 1998.

PIERRETTE FLEUTIAUX

DES PHRASES COURTES, MA CHÉRIE

ACTES SUD / LEMÉAC

CELLOPHANE

Il y a, dans le pays où je vis, une ville qui ne ressemble à nulle autre. Les êtres qui la peuplent sont comme enveloppés d'une cellophane invisible. Les immeubles, bien que d'apparence massive, de granit ou de béton, ne semblent que façades, et les rues ont un aspect irréel. Bien que je les fréquente depuis de nombreuses années, je n'ai pu retenir leur nom. Je me dirige grâce à quelques repères, des commerces, des bâtiments utilitaires, mes trajets n'y varient guère.

De tout ce qui s'étend autour, je connais peu de choses. J'ai l'image d'un vieux pont de pierre sur une rivière, d'un aqueduc enjambant une campagne verdoyante, d'un horizon de collines embrumées, ces paysages ressemblent à des rêves. La ville a une histoire, bien sûr, mais elle aussi est enveloppée d'une cellophane invisible, elle n'est pas pour moi, comme ne sont pas pour moi les habitants, les maisons, les rues.

J'y suis venue régulièrement pourtant. Quand je n'aurai plus de raison d'y aller, j'y serai par la pensée, presque chaque jour.

Hier, j'ai vu un film sur la vie d'un grand porcelainier de la région. J'y suis allée parce que ma belle-sœur est figurante dans l'une des

7

scènes. J'ai aimé le film, mais je n'ai pu faire de rapport entre les lieux que montre le cinéaste, bien réels pourtant, et la ville qui me hante.

Au centre, il y a comme un aimant, une maison qui me tire vers elle. De quelque point du monde où je me trouve, elle tire sur mes pensées, me fait courir au téléphone plusieurs fois par jour, ou à la gare, ou sur les routes. C'est une construction récente, à plusieurs étages et deux corps de bâtiment, le crépi en est rose, les fenêtres sont protégées sur leur partie inférieure par des plaques de verre, deux ou trois balcons ont des plantes fleuries. Sur le devant s'étend une petite place interdite aux voitures. Quelques arbres, quelques parterres, des bancs.

De la gare jusque-là, il ne me faut qu'un quart d'heure. Je ne prends pas de taxi ni d'autobus, je bascule mon sac sur l'épaule et je marche. Parfois je m'arrête dans un café, fume une cigarette. Ni le café ni les rues n'ont de réalité pour moi, mais j'ai besoin d'une étape.

Souvent je me dis : "Trouve un papier, prends des notes, c'est une ville comme une autre, il y a quelque chose à en tirer, forcément. Ecris une nouvelle, un poème, écris, bon sang, si tu es un écrivain !"

Mais mon stylo lui aussi semble enveloppé d'une pellicule transparente. Il n'y a pas de force dans mon bras pour l'en extraire. Je suis ensorcelée, moi-même sous cellophane. Marcher, je le peux. Parfois je fais de grands détours, file à l'autre bout de la planète, m'agite comme il se doit, mais je sais que je me retrouverai sur ce trajet, marchant vers la demeure au crépi rose, comme si cela seul était écrit dans le livre de mon destin, comme si le reste n'était que feuilles volantes.

Le long du chemin, je vois des banques, des cinémas, un Monoprix, un grand lycée qui devrait me dire quelque chose puisque j'y ai été élève un an, que j'y ai même été célébrée à un moment ou un autre pour la sortie de l'un de mes livres, mais il ne me dit rien, il est aussi muet que n'importe quelle grande bâtisse anonyme. Je passe aussi devant un magasin qui s'appelle Damart. Peu de personnes savent réellement ce qu'est ce magasin, moi je le sais et chaque fois, où que je la rencontre, cette enseigne *Damart* me remue le cœur. Un petit sourire me passe sur la figure, ni triste ni gai.

Au dernier coin de rue avant d'arriver, il y a un chausseur-maroquinier. Je possède plusieurs paires de chaussures qui viennent de cette boutique, que je n'ai pas portées ou très peu. En général, ce n'est pas moi qui les paye, je les essaye, puis me les laisse offrir. C'est une transaction très particulière, dans laquelle nous sommes deux seulement. La vendeuse, elle, n'y est qu'une silhouette et tout le magasin un décor.

Je traîne un moment devant la vitrine. A quoi reconnaît-on que ce ne sont pas de "vraies" chaussures ? A ce qu'elles sont à cet endroit, justement. Cependant je ne manque jamais de rester un long moment à les contempler, il est probable que cette fois encore je ferai l'acquisition d'une paire.

Et puis, sur la droite, au tout dernier moment avant de changer de trottoir, il y a le marchand de tabac. Je vois d'avance le paquet bleu des Camel dites légères, le joli dromadaire jaune me fait signe devant sa pyramide pointue, c'est la case obligatoire dans mon jeu de l'oie personnel, quelle que soit la carte que je tire, je tombe dans cette case, et là se termine chacune de mes périodes non fumeuses. J'y prends aussi quelques paquets de chewing-gum, le journal, local ou national, peu importe, je ne le lirai pas. J'y ai acheté des porte-clés, un petit cendrier de vilaine porcelaine, des figurines absurdes, il m'arrive parfois d'être si ténue, si réduite, que j'achèterais n'importe quoi, ou plutôt n'importe quoi m'achèterait.

Pour ce qui est du journal, j'ai l'air de le mettre sur le même plan que les babioles insignifiantes que vend le magasin. Mais ce n'est pas le cas. Je n'éprouve aucun mépris pour les nouvelles régionales, nationales ou internationales. Mais dans le lieu où je vais, aucun journal n'a lieu d'être. Je m'en leste par habitude, ou pour me protéger, par superstition. Journal, garde-moi dans le monde des vivants !

Après, c'est terminé, plus d'échappatoire. Je débouche sur la place piétonne, de toutes les fenêtres de la demeure on peut m'apercevoir désormais. Je suis arrivée au terme de mon trajet, j'entre sur les territoires où rien de ce que je connais n'a plus cours. C'est une petite place anodine, fleurie, presque agréable. Mon imagination ne m'aurait pas représenté ainsi les lieux qui précèdent la mort, j'apprendrai que c'est l'une des apparences qu'ils peuvent prendre.

Au seuil un guide attend, devant lui je dépose mes bagages les plus intimes : ma volonté, ma mémoire, mes désirs, qui aussitôt se recouvrent d'une fine pellicule. Dès que je pénètre sur la place, que je débouche sous le regard des fenêtres, le guide est là, invisible. Je lui remets ma vie, j'avance en aveugle dans un labyrinthe dont je n'ai pas les plans, et mon guide est muet, je ne le verrai jamais, ne pourrai lui poser aucune question, ne pourrai ni le bousculer ni le fuir.

Ce guide : une figure que je peux dresser à partir des signaux énigmatiques qui traversent mon corps, la dernière figure de mon imaginaire, après laquelle il n'y a plus rien que je puisse nommer.

Sur ces territoires que j'arpente depuis sept ans, je ne domine rien, ne conduis rien, je suis menée sur un parcours tracé d'avance qui m'a attendue là de tout temps et sur lequel rien de ce que j'ai appris ne peut m'aider.

Dans mon récit (bien après cette époque), je redoute de m'égarer. Je voudrais trouver le sentier d'écriture le plus simple, le plus direct, mais il s'évanouit à tout instant, il est hanté de fantômes, de gouffres mouvants, de grands nuages qui l'obscurcissent. Je ne sais comment m'y prendre.

Une ville fantôme et, au centre de la ville, dans un bâtiment fantôme, une femme encore vivante lutte contre le film invisible qui la recouvre. Elle essaye de le déchirer, de l'écarter, elle fait des signes à ceux qui sont de l'autre côté, elle y met tant de force, tant d'énergie, à ceux de l'extérieur ses mouvements paraissent erratiques, vraiment exagérés, parce qu'ils ne voient pas ce qui l'enserre de plus en plus étroitement.

J'assiste à cette lutte, je compte tous les points. Gagné, perdu, gagné, perdu, regagné encore. Parfois je souhaite qu'elle perde pour de bon, qu'elle s'avoue vaincue enfin, qu'on en finisse. Souvent, je suis éperdue d'étonnement, d'admiration, je pourrais applaudir, je voudrais qu'il y ait une assistance que je puisse pousser à une ovation, mais ces combats se mènent dans une telle solitude, il faut être très proche, très attentif pour les percevoir. Je suis si proche que j'y prends beaucoup de coups aussi.

11

Une femme s'enfonçant toute seule sous cette chape invisible et moi seule comme témoin.

Longtemps avant cela, lorsque mon fils est né, j'ai éprouvé de la joie et un amour immédiat. La joie, l'amour, sentiments déjà rencontrés, que je retrouvais seulement dans un éclairage différent, bouleversant. Mais ce dont je me souviens le plus, ce n'est pas cela. C'est quelque chose qui s'est passé quelques heures après la naissance, une fois l'agitation apaisée, l'enfant lavé, les visites terminées. J'étais étendue sur le lit, reposant mon corps endolori, l'enfant dormait dans son berceau, se reposant lui aussi après son grand choc. Le soir descendait, tôt parce que nous étions en novembre, c'était l'un de ces moments de calme assez brefs dans les hôpitaux, un moment miraculeux de paix et de silence entre les soins et le repas. Quelque chose m'est tombé dessus, comme un coup de poing qui commotionnerait le cerveau et en transformerait désormais toutes les perceptions. Voilà, ma vie de libellule, d'atome libre et volant, était terminée, j'étais désormais le témoin essentiel d'un être humain, liée obligatoirement à une monstrueuse machine de vie et de mort sur laquelle je n'avais pas de prise, impuissante et responsable pourtant, liée. C'était un sentiment entièrement nouveau, d'une gravité stupéfiante.

Pendant sept ans ensuite, je n'ai pas pu écrire. Mon journal sans doute, des phrases de complainte, de banals comptes rendus du quotidien, de la litanie répétitive avec parfois quelques entrechoquements de mots qui faisaient comme des éclairs à l'horizon d'une longue attente, m'empêchant d'oublier tout à fait... quoi exactement ? Une liberté fondamentale, de tout tu te fous, va et vole où tu veux, vis ou meurs, et chante comme tu l'entends.

L'enfant est allé à l'école, l'incroyable chaîne s'est peu à peu relâchée, du moins laissé oublier. Cependant quelque chose demeure. Je ne peux écrire que s'il n'y a personne autour de moi, dans l'appartement, absolument personne. La quête d'un lieu désert (déménagements, fuites, querelles, travaux alimentaires et soucis mis bout à bout) a occupé de nombreuses années de ma vie. Histoire connue. Une cave et le plateau de nourriture déposé devant la porte. Une chambre à soi.

Sept ans pour accompagner l'entrée dans la vie de mon enfant, sept ans pour accompagner la sortie de la vie de ma mère.

Cela m'est assez étrange de dire "je", "mon enfant", "ma mère". J'ai détesté mon enfant (pas lui, bien sûr, l'enfant simplement) de me tenir si près de mon "je", si collée, j'ai détesté ma mère pour cette même raison. Mais elle plus violemment, furieusement, une rage à la mesure de notre attachement. L'enfant était sur la trajectoire de l'éloignement, mais ma mère était sur celle des pitons, hameçons, harpons lancés à tout va, de l'étreinte totale avant le grand plouf et au-delà. Au-delà.

Je ne suis pas à l'aise dans ce que j'écris. Ce tâtonnement autour de ma mère, et donc de mon "je" à moi, ne me donne pas de force. Je suis essoufflée tout le temps et j'ai recommencé à fumer outre mesure.

Je n'ai pas souvent écrit d'essai. Lorsqu'on me demande un texte sur un sujet quelconque, je redeviens comme une enfant rédigeant un devoir, je ne suis sûre de rien, j'ai peur de chaque mot, les commanditaires ou lecteurs éventuels sont comme les adultes pour cette enfant, sachant mieux et plus. En général je finis par me défiler.

Je ne suis bien que dans la fiction, et la plus éloignée possible du témoignage. Dans la fiction, j'ai une sorte d'assurance aveugle, comme si le roman, déjà là préexistant, je n'avais qu'à me donner la peine de le trouver. Les romans sont des constructions provisoires, comme les hypothèses de travail des savants, modélisant le dernier état de leurs connaissances. Mon "je" à moi n'est pas dans le coup. Mais ma mère ne se laisse pas faire, je ne peux la faire entrer dans un roman.

Ce qu'elle aurait voulu, c'est que je meure avec elle, contre sa chair, puis l'enveloppant de ma chair. Et puis, ressuscitée, accouchant d'elle, que je poursuive sa vie. C'est ce que j'aurais voulu aussi. Ce qui aurait été juste et bien, dans ce royaume obscur et incompréhensible que nous partagions.

Elle a jeté dans ce combat toutes les forces de sa séduction, et j'ai répondu dans la brutalité. Elle ne savait pas ce qu'elle faisait, au fond, et moi guère mieux. Mais je voyais et c'était déchirant.

CHOIX

Les supputations que l'on fait.

Lequel des deux parents partira le premier ? Comment réagira l'autre ? On fait mourir l'un, puis l'autre, et on regarde le résultat sur une carte de projections aussi incomplète et fantaisiste que les premières cartes du monde. Pire : on énonce le choix. D'elle ou de lui, lequel vaudrait-il mieux que la mort épargne ? Pire encore : on choisit.

On fait cela par touches légères, sans insister. Les amis font de même, concernant leurs propres parents. Petites flammèches qui filent au travers des conversations, on les éteint, on les rallume. Ne leur en veuillez pas, bonnes gens, ce ne sont que des enfants, qui ont très peur.

On édifie de fragiles châteaux de raisonnements. Dans un grand sac qu'on semble toujours avoir sur le dos, on collecte articles, informations, témoignages. On s'intéresse aux autres civilisations, on fait de la sociologie, on hoche la tête, on convoque les vieilles histoires de la famille, qu'on avait oubliées pendant ces années si agitées de l'âge adulte.

L'arrière-grand-mère ? Quatre-vingt-dix ans, non ? C'était au village, elle restait assise sur le banc de pierre devant la maison, les poules picoraient autour de ses jupes, de temps en temps elle leur jetait du grain. Il y a toujours du monde dans une ferme, cet exemple ne peut servir. La grand-mère ? Elle est venue chez sa fille et son gendre, ceux qui nous occupent en ce moment. Ils avaient une maison spacieuse, ils étaient à la retraite, l'exemple ne peut servir. L'autre grand-père ? Il avait accepté la présence d'une "gouvernante", vieille demoiselle effacée, totalement dévouée. Ce genre de personne n'existe plus, l'exemple ne peut servir.

Dans un vieux couple, la force de l'un s'appuie sur la faiblesse de l'autre, mais si l'on retire ce dernier, la force de l'autre ne s'appuie plus sur rien et s'écroule. L'exacte répartition des forces et des faiblesses, qui la connaît ? Dans un vieux couple, on ne sait plus ce qui est de l'un et ce qui est de l'autre. Là aussi, les cartes sont incertaines, trop anciennes, trop souvent retouchées et raturées.

Et surtout on ne sait pas ce qui se passe là-bas, à l'extrémité du chemin, aux abords de la Chose inconnue. Courbure du temps à l'approche d'un objet de masse énorme, effondrement interne des trous noirs, renversements des échanges chimiques… les lois qui fondent la vie terrestre éclatant de toutes parts et, sous le visage familier, un alien peut-être.

Que voudra le survivant, que refusera-t-il ?

Et s'il survit jusqu'à ces années extrêmes, dans la *terra incognita* qui fait si peur, ses enfants seront vieux aussi, en quel état ? Quel âge a la fille de la dame de quatre-vingts ans ? Et celle de la dame de cent deux ans ?

On revient en arrière, en terrain plus connu, on récapitule, on isole des traits de caractère, on recueille des remarques lancées par l'un ou par l'autre, on fait des listes.

Le père.

Il ne s'est guère penché sur la machine à laver, ne connaît pas l'usage du four, n'a jamais touché une casserole, hormis lorsque ses enfants étaient petits pour leur faire une mousse au chocolat, sa spécialité et chasse gardée, et encore sa femme lui servait-elle d'assistante, pour présenter les ingrédients, battre les œufs en neige, et tout ranger ensuite.

Le père se lasse vite en compagnie, laisse à sa femme le soin des relations de voisinage. Le réseau familial, c'est elle qui l'entretient. A elle encore, les désirs vifs, un four à micro-ondes aux dernières nouvelles, un déjeuner de fête avec les enfants, la réfection des peintures. Lui, éberlué : "Elle en veut, des choses !" Elle, indignée : "Il faut bien vivre comme tout le monde…" Elle téléphone, s'emporte, s'excite, ses émotions bouillonnent, à tout instant il se passe quelque chose dans la maison de la mère. Le père se retire dans son bureau. Il marche à tout petits pas, il a la maladie de Parkinson.

Dans le jardin, il a abandonné les rosiers depuis longtemps : trop compliqué.

Les pensées et violettes sont encore là. L'entretien des deux parterres autour de la porte d'entrée le fatigue, mais il persiste. Sa femme désapprouve, mais le laisse faire. Elle sait ce qu'il y a derrière cette obstination jardinière : il aime le nom des pensées. Ce grand respect qu'il a voué aux livres, à l'éducation, à l'école,

seules ces petites fleurs multicolores et duve-
teuses en portent maintenant témoignage. Quant
aux violettes, c'est son cœur secret qu'il a confié
à leurs modestes pétales. Il a toujours été un
peu fleur bleue. Pure sentimentalité, dit sa
femme devant les parterres. Mais, après lui,
elle continuera à les entretenir.

Sa dernière fierté : les énormes citrouilles
jaunes qui se sont développées le long du mur.
Elles poussent avec vigueur, s'enflent comme
les grenouilles de la fable, rivalisent avec le
soleil dans leur couleur éclatante. Elles ont une
sacrée vitalité, ces créatures végétales, elles se
posent là avec aplomb et avancent sans crainte
dans le jardin de plus en plus dépouillé. Il va
les contempler plusieurs fois par jour, avec le
même étonnement ravi. Un minimum de soins,
et elles lui font ce cadeau gratuit : leur enflure
somptueuse, et une ribambelle de petits bébés
ronds sous les larges feuilles. Pourtant il les a
abandonnées, elles sont devenues trop lourdes,
le minimum de soins était encore trop.

Sa voiture : une grosse Mercedes blanche,
antique maintenant, probablement sa seule
vanité masculine. La conduire, il ne le peut plus.
La vendre, ce serait se démettre. Elle reste au
garage, un mécanicien vient faire les révisions,
l'honneur est sauf. Il n'est pas question, bien
sûr, que sa femme l'utilise. Le voisinage n'a pas
à savoir que le roi n'est plus. Elle s'est acheté
une petite auto, à conduite automatique, à cause
de l'accident à sa jambe. Le gros carrosse blanc
dans le garage, elle s'en fiche. Elle le vendrait
bien, s'il ne tenait qu'à elle. Elle a découvert
qu'elle conduit très bien, fonce, vire et se gare
avec maestria. Son sens pratique fait merveille
sur la route, elle a toujours su bien négocier. Et

donc elle trotte partout en ville, avec allégresse, et ramène les nouvelles.

A noter : elle est plus jeune de quelques années.

Le train ne fait pas peur à la mère, et si elle n'a jamais pris l'avion, il semble clair que c'est à cause de son mari.

La modernité, elle l'aime, la vante, l'affiche. Normal, c'est une scientifique, la science, c'est avancer, évoluer. Et puis la modernité est bonne pour les femmes. Lui, c'est l'homme des humanités, des textes anciens, le silence de son bureau et pour tout le reste une bienveillance lointaine.

Il ne saura pas se débrouiller sans elle.

Ainsi s'établit la carte des apparences. Les enfants, penchés là-dessus, cherchent à deviner les voies possibles de la navigation quand la catastrophe se sera produite, quand le navire des parents n'aura plus qu'un équipier, quand il leur faudra monter à bord et manœuvrer pour de bon.

Le navire des parents, ils le connaissent en gros. Mais pas si bien que cela. Trop d'inconnues, de placards fermés. La chambre du capitaine, la salle des commandes, ils n'y ont pas pénétré, c'était une autre époque.

Il y a un pointillé d'écueils dont ils ne devinent pas l'exacte dangerosité, des courants contraires dont nul ne sait avec certitude quels renversements ils peuvent opérer. Et leurs instruments de mesure sont si fluctuants, si peu fiables.

Prévisionnistes incertains, inquiets, ils attendent le coup de tonnerre. Ce sont vraiment de

tout petits enfants, malgré leurs cheveux gri-
sonnants et leur assurance d'adulte. Ils se ser-
rent l'un contre l'autre, retrouvant l'ancienne
fraternité, la complicité d'autrefois devant le
pouvoir des parents. Oubliées les contrariétés
refoulées, du temps où chacun se frayait son
chemin dans la vie, pas forcément en accord avec
celui de l'autre. Plus d'aîné ni de cadet, ils sont à
égalité, ils se protègent l'un l'autre. Beaucoup de
choses qui n'ont jamais été dites sont dites
alors, des confidences qui auraient été impossibles il y a peu, qui paraissent si banales, inof-
fensives maintenant.

Tout n'est pas dit. Chacun a été l'enfant des
parents, l'autre ne peut savoir exactement ce
qu'a été ce lien.

Quel est le parent dont la cause aura gagné ?
Lequel sera jugé le plus apte à demeurer dans
la vie, à y faire le moins de dégâts, à créer le
moins de soucis, à "déranger" le moins ? Lequel
abandonner, lequel garder ?

L'affection qu'on leur porte, la douleur à
venir, on n'en parle pas. On ne se demande
pas qui est le préféré. Ce sont des questions
intouchables, sans réponse, qui ne relèvent
d'aucune compétence, on s'en tient au matériel.

Derrière le fatras de mots, le choix secrètement est fait. Si secrètement qu'on n'en sait
rien soi-même. On s'en tient à des "peut-être".
"Peut-être ce serait mieux si…", "peut-être
qu'elle…", "peut-être que lui…".

Leur grande chance, dans cette affaire de la
vie sur terre, c'est qu'ils peuvent bien tatasser
tant qu'ils veulent, et esquisser des choix épou-
vantables, en fin de compte, ce n'est pas eux

qui décident. La réalisation, la mise en œuvre, le passage à l'acte, ça se passe ailleurs, à l'intérieur des cellules, dans le corps des parents. C'est le domaine de la Chose inconnue.

Ils ne peuvent qu'attendre. Ils attendent le coup de tonnerre.

RECHERCHES

Quand mon père est mort, ma mère est d'abord restée chez elle, dans sa maison. Nous avons pensé que, malgré la solitude, elle ne s'en sortirait pas trop mal. C'était une femme vive, curieuse. Elle portait depuis longtemps le fardeau d'un homme très fatigué. Sans doute se sentirait-elle libérée. Je l'imaginais me rendant visite à Paris, nous rejoignant sur nos lieux de vacances. J'irais la chercher, la promènerais.

Depuis quelques années, ma vie personnelle, si longtemps chaotique, était stabilisée. Je me voyais faire enfin ce qu'on fait dans les familles. Je me montais une belle histoire, d'une mère et d'une fille enfin disponibles l'une pour l'autre, dissensions usées, vieux tiraillements abandonnés. J'irais sur son terrain, elle viendrait sur le mien et, toutes armes déposées, dans la paix et la douceur, nous jouirions du soleil couchant. J'y étais prête, j'en avais envie.

Au début en effet, elle s'en est bien sortie. Puis cela s'est gâté. Pour qu'elle ait de la compagnie, nous l'avons obligée, malgré sa résistance, à prendre chez elle une étudiante. La jeune fille venait de Tahiti, était douce et très seule. Ma mère a repris du poil de la bête. Elle parlait de sa protégée, de ses difficultés, de ses efforts à elle pour l'aider. Elles étaient discrètes toutes les deux, se cantonnant chacune dans leur coin de la maison, se faisant des petits cadeaux, une fleur, un gâteau. J'étais contente, en surface seulement. Plus profondément, j'avais peur. La menace rôdait, je la devinais tapie, prête à surgir. Ce n'était qu'un répit.

Au bout de deux ans, la jeune fille est retournée dans son pays. Et au début encore, cela ne s'est pas mal passé. Ma mère parlait de son jardin, de ses voisines, nous lui avons offert un magnétoscope et elle s'est mise au fait aussitôt, inscrivant l'ordre des manipulations sur son carnet. Elle regardait, enregistrait même, les débats ou documentaires. J'étais fière de son habileté technique et de ses choix culturels.

Je venais la voir (cinq cents kilomètres) plus souvent qu'auparavant. Elle m'avait préparé une tranche de jambon, des yaourts. "Je ne fais plus de cuisine, tu sais, mon petit." Le lendemain, je l'accompagnais faire ses courses au supermarché, elle conduisait encore.

Les voisines. Elle les aimait, me vantait leur prévenance. Il n'y en avait que trois en fait, dont l'une, commerçante, était peu disponible. Ma mère avait surtout peur de "déranger". C'est-à-dire déranger leur mari, l'ordre convenu des visites de politesse, tout ce rituel provincial que j'avais observé avec condescendance, avant, et que maintenant je voulais tant voir se poursuivre. Admirables, ces voisines ! Admirables, ces rapports tout de discrétion et de retenue ! Je faisais désormais la conversation avec elles, lorsque je venais. J'y trouvais même du plaisir. Mais enfin, maman, tu ne les déranges pas. "Ah mais, tu ne comprends pas tout, mon petit."

Elle a commencé à se dire trop fatiguée pour répondre à une invitation et traverser la rue. Je crois que c'est à ce moment qu'elle a senti le premier effleurement de l'invisible film de cellophane. Du temps de son mari, elle avait occupé une place de choix dans le quartier : sa maison, son fils chirurgien, sa propre personnalité. Ne montrant toujours qu'un visage enjoué, ne "la ramenant" pas, sachant se taire à bon escient, une sage. Devenue veuve, elle ne voulait pas se trouver en position d'inférieure, objet de commérages apitoyés. Lorsqu'elle ne se sentait pas à la hauteur de son rôle, elle s'abstenait, restait chez elle. De plus en plus souvent.

En fin de compte, je ne voyais plus à ces voisines qu'une "utilité" : si un matin les volets de la maison ne s'ouvraient pas, elles ne resteraient pas sans réagir. Dans les rues de village comme dans celles des villes de province, les volets clos alertent.

Paris, c'était trop loin. Elle est venue une fois au bord de la mer. Grâce à mes livres et à son aide, j'avais pu m'y acheter une petite maison. Du solide, du réel, sa fille rejoignait la lignée de ses ancêtres, qui avaient trimé génération après génération pour acquérir un bout de terre. Visite de la maison, grande satisfaction de part et d'autre. Elle a écrit des cartes postales. Assise à la table de la salle à manger, sérieuse et appliquée, elle avait l'air d'une étudiante. J'étais émue de la voir chez moi. Mais elle est repartie le lendemain. Là aussi elle ne voulait pas déranger.

Les choses se sont gâtées. Elle n'allait pas bien. Petit à petit, nous sommes entrés (elle, mon frère, moi et nos proches) dans un nuage ténébreux, qui se dissipait de plus en plus rarement.

La sonnerie du téléphone me zébrait les nerfs, j'ai recommencé à beaucoup fumer. Dès le premier appel du matin, ma journée était assombrie, il me semblait qu'une grande lame courbe avait fauché sous mes pieds, me coupant de mes sources d'énergie. La journée de travail me faisait peur, le retour à la maison me faisait peur. La nuit, c'était mon frère qui était aux avant-postes. Réveillé en sursaut par ses appels, il courait chez elle. Le lendemain, il avait tout son service de l'hôpital à assurer. Il était harassé. J'avais peur qu'il ne rate ses opérations, je vivais dans un sentiment de catastrophe imminente.

Nous avons essayé mille choses, nous ne parlions plus que de notre mère, elle résistait à tout, elle résistait farouchement. Nous entrions avec elle dans des discussions infinies.

Des discussions infinies. Cette phrase que je dis ! Nous voulions des solutions, ma mère voulait de la discussion, c'est-à-dire être avec nous. Pour nous, il s'agissait de régler un problème, pour elle il s'agissait d'en parler. Afin de nous garder autour d'elle, mobilisés, elle n'avait d'autre recours que de maintenir le problème. Nous étions dans l'indignation permanente. Professionnellement, mon frère devait à tout instant et vite prendre des décisions. Moi de même, à un autre niveau. Nous ne supportions pas l'impuissance où elle nous mettait. Nous ne comprenions pas l'enjeu. Nous le devinions, sans doute.

Notre mère ne pouvait plus rester seule dans sa grande maison vide. Elle y perdait la tête. Nous, dans notre vie, nous perdions les pédales.

Des scènes affreuses, dont on n'aurait pu imaginer qu'elles arrivent à soi. On descend de degré en degré dans une infamie à laquelle on

ne peut croire. On est comme poussé à l'aveuglette sur un parcours obscur, obligé de jouer
des rôles dans une pièce de théâtre gonflée
d'emphase, ridicule.

Accalmies, rechutes, de jour en jour, mois
après mois.

Au fond de toute cette hystérie, une vérité :
sa mort. Elle savait bien de quoi il retournait.

Nous nous sommes mis à chercher une
maison de retraite. Chacune de mes visites était
désormais consacrée à cette quête.

Ma mère est redevenue assez gaie. Je pensais qu'elle avait accepté cette "solution". J'étais
pleine de bonne volonté, elle aussi. "Ma pauvre
petite, je te fais bien courir." J'étais contente de
"courir" pour ma mère, avec elle. Ensuite, je
faisais un compte rendu à mon frère, j'enten-
dais la note d'espoir prudent dans sa voix.

Je me suis rendu compte qu'elle n'avait rien
accepté du tout. Sa gaieté retrouvée n'était que
l'effet de l'action, une illusion. Ce qui lui faisait
du bien, c'était de sortir, de marcher, d'être avec
moi et de faire des projets. Comme lorsque,
autrefois, elle devait trouver et installer une
nouvelle maison : son affaire à elle, sa grande
affaire, du temps de sa vie familiale la plus
ardente. Elle y déployait une énergie intense, de
la persuasion, elle était formidablement efficace.

Un dimanche pluvieux d'automne, dans un
quartier excentré de la ville, nous cherchons
longuement une adresse. Enfin nous arrivons
devant un long bâtiment gris. Maintenant nous
cherchons l'entrée. Puis une sonnette, puis l'accueil, quelqu'un à l'accueil. Personne. Deux
fauteuils de rotin, isolés dans un hall froid, un
téléviseur au mur. J'ai le cœur serré, veux partir.
"Mais non, mais non", dit-elle, joyeusement. Je

ne comprends pas son insistance, mais vais frapper à un bureau, plus loin. La directrice est absente, une femme de service (pas lourds, traînants) nous montre un long couloir à droite. "Allez voir si vous voulez." Ma mère veut aller voir. Linoléum, succession de portes fermées, affiches jaunies au mur. Un vieil homme surgit, en pantoufles et veste de pyjama. Je veux entraîner ma mère vers la sortie. Elle est déjà en conversation. Au bout d'une minute, ils sont comme deux vieilles connaissances. C'est un ancien ouvrier, d'origine paysanne comme elle. Il nous montre sa chambre, son réchaud à deux plaques, son assiette et son bol sous un rideau plastique. "On est bien ici", dit-il. Il est prêt à montrer son matelas, sa penderie, son linge. "On a la supérette à côté, si on veut pas manger à la cantine." Ma mère fait "sa sucrée" (d'où me vient cette expression, à l'instant ?). Je trouve tout affreusement triste.

Lorsque nous sortons enfin, elle se lance dans des commentaires animés, le pour (ce futur voisin avec qui elle se sent de plain-pied), le contre. Elle veut voir la supérette. Nous y allons, mais j'ai la mort dans l'âme. Malgré nos récents démêlés, je me fais une haute idée de ma mère. Il lui faut des gens éduqués autour d'elle, des livres, un décor décent. La pluie dégoutte des arbres, la supérette est sinistre, le quartier aussi. Ma mère continue de pépier. Nous revenons en ville. Elle a encore la force de m'offrir un thé. "On va dans un beau café, hein ?" Implicite finalement : cette maison de retraite ne convient pas. Est-ce pour cela qu'elle est si gaie ? Je suis lessivée.

Elle m'y ramènera cependant, comme nous retournerons, une fois, deux fois et plus, dans d'autres établissements possibles. Il y a eu pire que celui que je viens de décrire, qui n'était après tout que pauvre.

Un bâtiment coquet, cette fois, bien situé, j'ai cru qu'enfin nous avions trouvé. Accueil plaisant, ma mère avait passé ses dernières années d'enseignement dans le lycée voisin, elle était quasiment chez elle. Dans le hall, beaucoup de monde, de loin cela paraît animé, coloré. De près, c'est autre chose. Des vieilles femmes. Avachies dans leur fauteuil, mal fagotées, lèvres pendantes. "Allez, les mamies, c'est l'heure du goûter." Les fauteuils roulants se mettent en branle, on soutient les unes, houspille (gentiment) les autres, lamentable troupeau en route vers "le goûter".

On s'occupe bien d'elles ici, dit l'animatrice (ce mot !) et c'est évident. Mais qu'une étrangère appelle ma mère "mamie", se mêle de "l'animer" ? Jamais. Elle n'en est pas là, n'en sera jamais là, enfin regardez-la, si charmante, si vive, en comparaison !

Il y a quelques années, de vieux amis à moi faisaient une promenade à pied dans les Pyrénées. Ces gens comptaient beaucoup pour moi, ils n'étaient pas vieux à mes yeux, seulement beaucoup plus avancés en culture, expérience, sagesse… Mon ami s'est trouvé mal, peut-être une première attaque de la commotion cérébrale qui devait l'emporter plus tard. Les pompiers sont arrivés, de très jeunes gens, extrêmement dévoués et efficaces. Mais : "Allez, papy, on va vous emmener à l'hôpital." Mon amie les a pris à part : "Nous sommes en état de faiblesse momentanée, ce n'est pas une raison pour nous traiter comme des déficients mentaux." J'imagine sa voix posée, son autorité naturelle. Les gamins se sont excusés. Ce n'est pas un "papy" qu'ils ont emmené à l'hôpital, mais M. Claude J.

Ce souvenir fait bouillir ma cervelle impressionnable. J'ai les larmes aux yeux. Depuis quelque temps, pour un oui pour un non, j'ai les yeux qui se mouillent. Je "n'abandonnerai pas" ma mère parmi ces épaves, je ne tolérerai pas qu'on l'appelle "mamie". En moi-même, je monte sur mes grands chevaux. Surtout, qu'elle ne s'attarde pas devant le pitoyable spectacle. Remercions et tirons-nous au plus vite.

Elle ne l'entend pas de cette oreille. Est-ce la proximité de son ancien lycée : elle bavarde avec l'animatrice comme une collègue, que dis-je, comme une supérieure bienveillante. Ne se rend-elle pas compte qu'il s'agit de la fourrer dans le troupeau des mamies ? Nous prenons les documents, écoutons les explications, admirons les installations, excellentes en effet. Et nous reviendrons... plusieurs fois.

Pendant le discours de l'animatrice, j'ai noté un règlement, auquel je me raccroche. "On ne peut pas amener ses meubles", dis-je, devant la tasse de café ou de thé qui suit chacune de ces expéditions. Ma mère hoche la tête. Je comprends qu'elle n'a jamais eu l'intention de s'inscrire dans cet établissement.

Notre problème à ce stade : il n'y a pas dans cette ville d'établissement moyen. Ce qu'il nous faudrait, ce n'est ni le haut ni le bas du panier, des vieux pas trop vieux, ni trop huppés ni trop déplumés, raisonnablement cultivés, dans un décor agréable mais simple. Nous imaginons ainsi un établissement fréquenté par des professeurs à la retraite. Il y en a ailleurs, il n'y en a pas ici.

Vient le moment où on ne peut plus tergi-
verser. Ma mère, toute rouge, agitée (ce n'est
plus du jeu cette fois), est reçue par le directeur de la résidence aux murs de crépi rose.
Nous sommes dans la dernière phase.

C'est ce que je crois, mais la dernière phase
est pleine de phases intermédiaires, trompeuses,
qui se chevauchent, glissent les unes sur les
autres tant et si bien qu'on peut se croire très
avancé et se retrouver tout au début. Des jours,
des mois...

Les événements dans le monde, avec lesquels on se sentait si étroitement lié ("mon
époque, mon temps"), font une sorte de sara-
bande bruyante au loin, avec de temps en
temps un pétard plus fort qu'un autre qui vous
fait lever brusquement la tête, presque surpris.
La vieillesse d'un seul être vous a avalé tout
entier, chair, os et cerveau. On s'étonne que
des gens aient envie de s'amuser à des inepties,
comme se faire la guerre, courir sur un terrain
de foot, s'exciter sur les cours de la Bourse,
s'engueuler sur la religion, la politique.

Images de réfugiés, il y en a toujours à montrer. Ce qui me frappe, ce sont les vieillards
(autrefois, cela aurait été les bébés, les enfants).
Même chose pour les chômeurs ou les sans-
logis. Ces étiquettes sont comme des masques
qui recouvrent toute la personne, en oblitèrent
les singularités. Mais le vieillard, le chômeur, le
réfugié, il a aussi des migraines, des rages de
dents, des mauvaises humeurs, de l'arthrose.

J'imagine ma mère dans la cohorte des réfugiés... aussitôt revirement de mon balancier
interne, elle serait formidable, elle nous entraîne-
rait tous, dans les situations exceptionnelles elle
a toujours montré une grande force de caractère,
c'est le quotidien qui l'écrase.

Dans ma tête, un mécanisme incontrôlable tisse sans arrêt les fils de raisonnements sans suite, contradictoires, qui me piègent dans une pelote inextricable.

Par habitude, je continue à lire des articles sur la littérature. J'ai du mal. Après tout, ces gens dont on parle, je les connais pour la plupart, certains sont mes amis. Ces livres qui font l'actualité, ce sont les leurs, parfois même, de plus en plus rarement, les miens. C'est du pareil au même, tout cela m'est étranger, je suis hors du coup. Comme lorsque, jeune fille provinciale, j'essayais de comprendre, avec une sorte d'effroi, ces échos venus d'un monde qui semblait ne jamais pouvoir devenir le mien.

Si par hasard je tombe sur l'un de mes livres en librairie, j'ai un recul, presque de la gêne.

Nous y sommes quasiment. Avec mon frère, nous alignons tous les avantages de l'établissement enfin choisi, comme des gens qui n'y croient pas, pour se rassurer. Verbiage. "Il est en centre-ville, il dispose d'une place privée, il est bien entretenu, les appartements sont bien conçus, il y a un vrai restaurant, une bibliothèque, les tentures sont jolies, les fauteuils sont jolis, les plantes vertes sont jolies, les gens sont polis…"

Trop polis pour être honnêtes : "Ce n'est pas mon milieu", dit ma mère. "Tu n'es plus une paysanne non plus", je rétorque.

"C'est trop cher." Ah, voici le plus dur ! Le fil à tordre et retordre, le bon filon (les papiers ne sont pas encore signés).

Les charges, en effet, sont très élevées (les jolis fauteuils, tentures, plantes vertes, le restaurant, le personnel, les infirmières…).

Une chose curieuse : je ne sais pas quelles sont les ressources exactes de ma mère. Je n'ose pas le lui demander. Réticences héritées d'une autre époque. J'en parle à mon frère. Notre conclusion : les charges, on s'en balance. La paix à tout prix.

Voici comment va notre raisonnement : ses économies, c'est maintenant qu'elle doit les dépenser, tout de suite, il n'y a plus à attendre. Nous avons même des rêves un peu fous : notre mère en autocar avec des retraités de bonne mine, visitant les châteaux de la Loire, mieux encore en croisière, nous envoyant de ces longues lettres délectables qu'elle sait si bien écrire. Nous nous appuyons sur des faits de sa biographie qui nous confortent : n'a-t-elle pas su, à seize ans, la seule de son village, faire le grand saut pour s'arracher à la ferme et partir étudier ? N'a-t-elle pas, jeune femme, juste après la guerre, organisé avec notre père des voyages dans toute l'Europe pour leurs élèves ? Et, ces dernières années, ne se plaignait-elle pas d'être confinée à la maison, à cause hélas de la maladie de son mari ? Profiter, profiter, il est grand temps, pour elle, pour nous.

Son raisonnement à elle est différent, si lointainement enraciné dans les vieilles terres de son village natal que nous en percevons mal la persistance. En gros : il faut économiser pour l'avenir. Or chaque jour, elle nous parle de sa disparition imminente. Nous lui exposons qu'il y a là une contradiction. Tout le temps de ces discussions, notre brutalité nous stupéfie. Nous essayons d'être carrés, nous essayons d'arrondir les angles, belle embrouille.

Elle fait un hochement de tête peiné, change de tactique : elle a des enfants, c'est pour eux qu'elle économise. Pas question de dilapider "notre héritage" dans ces futilités (les jolis tentures, fauteuils, plantes vertes, le restaurant, etc.).

Nous sommes indignés, ne voit-elle pas que nous sommes vieux nous aussi, que le temps passe, qu'il y a urgence de bonheur, de jouissance ?... Mauvaise pioche. Ses enfants ne sont pas vieux bien sûr, ne seront jamais vieux. Et elle, la mère, ne doit pas oublier ses responsabilités, tenir serrées les rênes (et les cordons de la bourse) si eux, pauvres têtes molles, beaux parleurs aux discours creux, se laissent emporter par la dissipation.

L'argent, la mort.

L'argent, un terme à préciser. Pour ma mère, ce n'est pas la spéculation, le gros paquet d'actions, les bijoux, que sais-je. L'argent, cela veut dire ordre, discipline, économies, avenir, enfants...

La mort, à préciser aussi. Pour ce qui est du cimetière, du tombeau, elle y est prête, il y a tant de monde qui l'attend là-bas, son mari, ses père mère et aïeux, elle sera chez elle, avec les siens. La mort qui lui fait peur, c'est celle qu'elle pressent dans la résidence de retraite au beau nom de mythologie, jardin des leurres rose et feutré, où les paroles sont adoucies au miel artificiel, où les sourires s'allument automatiquement comme les lumières électriques, où des voiles invisibles soigneusement tendus isolent du dehors, et il faut des passeurs qui soient forts et jeunes et motivés pour les franchir. Cellophane, linceul...

Ma mère est entrée dans une lutte désespérée pour ne pas devenir une morte vivante, pour continuer à maintenir son ascendant sur nous, ses derniers passeurs, ses derniers protecteurs, par tous les moyens...

Tempêter, sermonner, admonester, conseiller, pleurer, tomber malade de contrariété, d'inquiétude, encourager, féliciter, écrire, téléphoner, être là, au premier rang, toujours, notre mère...

"Elle en fait, une vie !" disait mon père. Mais, lorsqu'elle était sur la table d'opération, vidée de son sang après son accident de voiture : "Sans elle, je n'ai pas de vie."

Se faire une vie, ne pas faire la vie, en faire une vie... Ma mère, la vie.

Nous, nous voulons la paix. Nous ne nous rendons pas compte que c'est sa mort.

C'est enfin à peu près décidé. Elle vendra sa maison et achètera un deux-pièces dans la résidence de retraite.

PARTAGE

Elle nous surprend. Pour vendre sa maison, pas un pli, pas un gémissement. Toute seule, elle trouve un acheteur, traite son affaire avec brio. Elle est fière de son exploit, nous aussi. Notre mère n'est pas une mauviette. C'est une tête solide, pas de sensiblerie. La terre brûlée derrière, elle continue bravement. Bon soldat, notre mère.

Son habileté, ses petites ruses nous font glousser : "Cette fissure, sous le toit ? Bah, elle a toujours été là !" A nous, plus tard : "Tout de même, il ne faut pas se laisser faire !" Mère toujours, qui enseigne à ses petits la lutte pour la survie. Elle se reprend aussitôt : "Je ne les ai pas roulés, vous savez", car une bonne mère enseigne aussi la morale.

Le fin mot de cette histoire de fissure, c'est que son mari, lui, s'était peut-être fait rouler. Il avait acheté cette maison à l'un de ses anciens élèves (ou fils de, ou ami de, ou recommandé par, tous les instituteurs ou assimilés étant ses poussins, ses pupilles, ses disciples), mon père se serait fait "hacher menu" plutôt que de marchander avec des gens de l'Ecole, il avait payé le prix proposé, heureux de transfigurer une affaire de gros sous en legs spirituel. Sa femme, se sachant là en terrain sacré, n'avait pas insisté. Elle ne lui en veut pas, mais regrette le marchandage, la fine empoigne où, pied à pied, elle aurait convaincu et gagné.

J'écoute de loin, comme si j'étais au cinéma. "Il faut faire ses affaires", certes ne pas rouler dans la farine, mais ne pas y être roulé non plus. Comme mon père, je ne suis qu'une poule mouillée dans les transactions. Elles me fatiguent, me plombent la tête.

Aujourd'hui, cela me plaît, cette vaillance de ma mère dans les choses matérielles. La mère veille au grain, la fille peut rêver à la lune.

Poule, grain, farine. Ces expressions qui me reviennent. Je n'ai qu'une photo de ma mère jeune fille. Elle a vingt ans, elle est dans la cour de la ferme, mais en vêtements de ville, et jette du grain aux poules. Récemment, sur le trottoir de Belleville, après le marché, je suis tombée sur un cageot abandonné dans lequel se trouvait un poussin, vivant. J'ai pris le cageot et, ne sachant trop qu'en faire, restais là à hésiter. Le restaurant voisin, *Chez Lalou*, a bien voulu s'en charger. Le poussin est devenu un coq, qui pousse ses cocoricos et promène sa crête rouge sur le trottoir où il ne manque pas de faire sensation. Je ne vais pas au cimetière, mais je regarde mon coq. Les passants ralentissent, les enfants s'exclament et je me réjouis.

Mais :
"Il faut faire le partage", dit-elle.

Partage des meubles. Je fais la sourde oreille. Les objets me font peur, ceux de ma mère encore plus. De toute façon, je n'ai pas de place, que peut-on mettre dans un appartement parisien, dans une maison minuscule au bord de la mer ? Je ne veux rien. Les souvenirs sont dans ma tête, c'est là que je sais les loger et les faire vivre.

Du vent, mes discours : "Tu es une intellectuelle, toi." Elle revient à la charge, insiste. J'en ai par-dessus la tête de ces histoires de meubles. Un matin, elle pleure : "Vous n'avez pas de cœur, vous m'abandonnez."

Je téléphone à mon frère, en une minute nous avons réglé l'affaire. Il prendra ceci, mon fils et les siens prendront cela, et basta, le reste ira au vide-grenier. Assez satisfaite, je téléphone à ma mère.

"C'est que je ne veux pas de discorde entre mes enfants", dit-elle. J'affirme qu'il n'y en a pas, que nous sommes d'accord, mais elle continue sur ce thème, avec emportement. "Mes enfants sont ce que j'ai de plus cher... Je n'ai vécu que pour mes enfants..." Je n'entends pas ce qu'il y a derrière ce ressassement et répète qu'il n'y a pas de dispute, pas l'ombre, pas la queue d'une dispute. Cette querelle de sourds nous tient en haleine plusieurs mois. Un jour, je dis : "Pas de lézard, maman". J'entends son souffle retenu, "comment ?" dit-elle. Je répète : "Pas de lézard." "Je ne comprends pas", me dit-elle, avec hauteur. Elle a très bien compris. Nous nous séparons fâchées.

Le partage. "Quand l'arrière-grand-mère..." "Quand la vieille tante..." "Quand mes grands-parents..."

Je sais tout cela. Ces contes des temps anciens nous ont fait passer de bons moments à toutes les deux, elle racontant avec verve, moi assise près d'elle, la regardant et m'émerveillant. Je suis en communion avec elle pendant ces moments, et m'imagine que nous avons le même point de vue, attendri et amusé, sur les coutumes d'autrefois. Mais pour elle, ce ne sont pas des contes, pas seulement.

Le partage à la ferme. "On n'avait pas grand-chose à cette époque, mon petit." Pas grand-chose, mais toute la parentèle se réunissait dans la grande salle, venue qui à pieds, qui en carriole des villages voisins. Les objets étaient étalés sur la table, chacun savait ce à quoi il pouvait prétendre, selon l'ordre hiérarchique de proximité familiale. Chacun savait aussi ce qu'il désirait. Une cuillère en étain pouvait donner lieu à de longues tractations. En fin de journée, on arrivait à une répartition acceptable pour toutes les parties concernées, il ne restait plus qu'à tout envelopper dans du papier journal, débarrasser, et préparer la grande tablée pour le souper. Naturellement, bien avant, il y avait eu des préliminaires complexes qui avaient occupé les esprits, et longtemps après il y aurait des commentaires, peut-être d'autres marchandages.

Attendrissant, tout cela, mais dépassé tout de même, et un peu ridicule. Ce que je ne vois pas (pas *vraiment*), c'est cette grande table de bois sombre au milieu de la salle, tous ces objets exposés dessus, dont chacun porte une histoire, traîne avec lui le temps long des campagnes, l'usage répété, le soin et la sueur, pièces uniques dans une sorte de musée rustique, si liées à la personne décédée qu'elles en sont l'émanation toujours vivante, et autour les robes noires des femmes, les hommes empruntés dans leur costume du dimanche, et les enfants (ma mère) qui observent, la communauté familiale cousue dans le fil de ses ancestrales querelles et allégeances, les flammes hautes dans la cheminée, le souper, les histoires racontées pour la millième fois, transmission ininterrompue de génération en génération.

Le partage : rituel inviolable, et la grande table autel de cérémonie.

C'est tout cela qu'il y a derrière l'insistance de ma mère. Nous, ses enfants, n'avons pas la même notion du temps en cette sorte d'affaire. Nous voulons faire vite, lui épargner du mal, à elle et à nous. Mais une autre sorte de mal se fait. Nous escamotons le rituel, nous traitons les choses à la légère, nous manquons au respect, nous sommes des enfants sans foi ni loi.

Nous ne comprenons pas qu'elle nous veut autour d'elle, week-end après week-end, que le temps donné est pour elle la seule mesure visible de notre affection, que chacun des objets dans sa maison est un morceau de sa vie qu'elle tient à raconter, transmettre, que "le partage" est sa grande occasion, celle de jouer son rôle d'ancêtre, chef honoraire de la famille et dépositaire de sa mémoire. Elle veut exister, et nous la poussons tout bonnement de côté.

Nous sommes excédés, épuisés, nous ne voulons plus rien entendre.

A la fin des fins, un dimanche.

Mon fils est venu de Paris avec une camionnette louée, mes neveux sur place ont réquisitionné des copains, ils soulèvent, transportent, chargent. C'est si rare de voir les cousins réunis. Leurs rires résonnent dans la maison qui se vide. Ma mère est fière de leur vigueur, de leur bonne volonté. Elle trottine de l'un à l'autre, s'inquiète d'un objet trop lourd, "je ne voudrais pas causer un accident à mes petits-fils", au passage essaye de glisser sur l'objet en partance un peu de son histoire, "le bureau de ton grand-père, il y a passé tant d'heures, il serait content de le savoir chez toi, tu ne le jetteras pas, hein ?". Aujourd'hui les objets n'ont plus d'âme, mais le jeune homme, bon garçon, hoche la tête avec gravité. Puis hop, muscles gonflés, soulève le plateau par ses pattes. Exit le bureau où gîte l'âme de mon père.

Nous roulons les tapis : "Celui-ci, offert à votre père pour son départ à la retraite", descendons les tableaux : "Là, la rivière où nous vous emmenions pêcher, où vous avez appris à nager", enveloppons les vases : "Mon premier cadeau à mes parents, quand j'étais jeune fille…"

Nous travaillons aussi vite que possible. Nous avons le sentiment d'accomplir notre devoir, de faire ce que doivent faire les enfants. Pendant quelques heures, nous portons une auréole sur notre tête.

Elle est allée chez le coiffeur, a mis sa robe neuve, son cardigan neuf. Elle a des bas clairs et des souliers plats à encolure ronde, des ballerines, parce que ce sont les seules chaussures que ses pieds supportent, mais qui lui donnent quelque chose d'enfantin et d'innocent. Elle paraît toute petite au milieu des grands garçons qui cavalent de haut en bas des escaliers. Ses joues sont roses "comme des pivoines", il n'y a pas plus jolie vieille dame. S'en rendent-ils compte ?

Je ne le crois pas. Ils ne voient pas la robe neuve, les ballerines, la coiffure, ni tout l'effort que cela lui a coûté, ni la tension derrière ses jolies paroles. C'est leur grand-mère, une grand-mère.

Partout mon regard la suit, je suis émue. Je viens près d'elle, elle saisit ma main, la serre très fort.

Nous désossons sa maison, et elle sourit, remercie, s'excuse, accroche ses contes d'autrefois aux angles des meubles qui disparaissent, jette ses toiles fragiles aussitôt déchirées, elle tisse, tisse sans faiblir, un nid de paroles pour remplacer le nid détruit, pour y garder ses enfants, pour y garder sa vie. Elle fait si bonne figure, personne ne voit rien, mon inquiétude grandit.

Rapidité et efficacité. C'est qu'il y a d'autres projets au programme de la journée. Un match de foot, ils s'en font une fête, cela arrive si rarement qu'ils soient ensemble, l'oncle, les neveux, les cousins. Ce sera un vrai dimanche de famille. Je dis à ma mère : "Ils vont regarder un match de foot." Cela veut dire : vois ta famille, tes enfants, leur bon accord, ce que tu as toujours voulu. Oui, oui, dit-elle.

Sur le trottoir. Nous avons fini. La camionnette est remplie, ce qui reste a été trié et emballé, chaque tas prêt pour ses divers destinataires, et la maison prête pour le vide-meubles et l'entreprise de nettoyage. Belle journée de travail. Récompense bien méritée en perspective (le match de foot), ouvriers fatigués et contents (nous), la patronne fatiguée et contente aussi (notre mère), que l'on entoure pour l'embrasser avant de filer. Je la ramènerai à la résidence de retraite, elle a besoin de repos, elle dormira bien, nous sachant heureux tous ensemble, et la tâche accomplie.

Soudain, elle éclate en sanglots, "nous n'avons pas fait le partage". Arrêt instantané des bavardages. Son fils, ses petits-fils, qui s'étaient éloignés, reviennent aussitôt. Sous ses lunettes, de grands cernes violets et ses yeux grossis par les verres, hagards. L'ombre que j'ai toujours su être là depuis ma plus petite enfance est revenue, elle répand son encre noire emplie de larmes et de cris étouffés et de terreur secrète, elle m'enveloppe de nouveau, il n'y a jamais eu que cette ombre, je l'attendais, elle est revenue et je tremble, debout devant ma mère, impuissante.

Elle ne pleure plus. Cela n'a duré qu'une minute. Mon fils, mon frère l'emmènent, ils resteront auprès d'elle, dans sa chambre de la maison de retraite. "Rentre, toi, maman", dit mon fils. Dans la maison de mon frère, où je loge ce dimanche, j'attends leur retour. "Alors ?" "Ça va très bien, disent-ils, elle nous a raconté plein d'histoires."

Nous n'avons pas fait le partage...

Pendant des mois après sa mort, j'entends cette phrase "nous n'avons pas fait le partage", elle me déchire le cœur, me fait vaciller où que je sois, dans la rue le métro en rendez-vous, me fait balbutier, perdre ma force et le fil de ma vie. Dans le château invisible où je suis avec ma mère, toujours, il n'y a place que pour elle et moi et cette ombre qui passe et revient comme les nuages sur la lune, dans laquelle gîte sa séduction, que je ne cesse de sonder, dont je ne trouve pas le fond.

DIRECTEUR

— Ici, ma petite, il n'y a que l'extérieur qui compte, dit-elle.

L'extérieur, c'est-à-dire les habits, les bijoux.

Ritournelle qui revient à chacune de mes visites. Ces dames de la résidence, elle s'en fait une montagne. Les vieux messieurs ne lui causent pas de souci, mais ces dames !

Je ne comprends pas ce qui se passe exactement. Je lui dis : "Ça te plairait d'être entourée de gens qui traînent en savates ?" Elle secoue la tête, peinée de mon incompréhension, "il n'y a que l'extérieur qui compte".

Je réfléchis. Elle a vécu en couple, protégée par un mari qui l'aimait, l'admirait et, avant cela, fillette parmi ses grands-mères et arrière-grands-mères. C'est la première fois qu'elle est seule, elle doit s'imposer selon de nouvelles règles, femme devant d'autres femmes.

La maison de retraite : un pensionnat en vérité et, sous les vieux visages ridés, des petites filles, des adolescentes, qui doivent se recréer selon ce mode nouveau, étrange probablement, déroutant.

Je ne vois, moi, que des vieilles femmes, je les ai placées d'emblée dans un espace atone, à respecter bien sûr, mais enfin pas vraiment de ce monde. Je n'imagine pas qu'il y a là aussi des combats, des rivalités, des rapports de domination et de séduction. Les jeunes femmes que je rencontre dans le milieu de la littérature (écrivaines de dix ans, vingt ans plus jeunes, éditrices, journalistes) me placent-elles d'emblée dans ce même espace atone, dépassé, cet ailleurs des gens âgés ? Et, à plus forte raison, les hommes ?

Je lui dis : "Tu en as, toi aussi, des bijoux."

Son visage, soucieux et renfrogné, s'éclaire. Ce n'est pas pour les raisons que je crois. Elle se lève et trottine vivement jusqu'à sa chambre. Elle ramène une boîte. A l'intérieur, un écrin, une coupelle de bois, d'autres boîtes plus petites.

Ces objets, je les ai toujours connus. Ils étaient dans un tiroir de son armoire de jeune mariée, dans sa maison d'autrefois. L'armoire était trop grande, elle est partie dans la débâcle du déménagement. Maintenant ils sont dans le placard blanc intégré de cet appartement minimal, à la résidence de retraite.

Nous nous installons à la table et elle sort tout en vrac, un peu fébrilement. Nous avons une occupation pour un moment. C'est un bon résultat et j'en suis satisfaite, mais j'ai déjà un début de mal de tête. Je me dis "je suis ici pour cela, exactement pour cela", il faut que je joue mon rôle, comme lorsque je fais une conférence, prépare un dîner pour des invités, ou aide à faire les devoirs scolaires. Occuper ma mère, c'est mon travail, ma tâche de ce week-end. Au boulot, ma fille, courage, tu t'occuperas de tes propres affaires plus tard, mettras les bouchées doubles, tends tes muscles et prépare ton esprit, aspire une grande goulée d'air, tu t'en vas dans l'autre monde, sous la pellicule de cellophane.

Nous allons plonger dans le passé. Je suis la seule qui peut l'accompagner dans ce voyage que nous avons déjà fait ensemble tant de fois. Je sais ce qui va se produire, je connais tout ce qu'elle va me raconter. Ma mère n'a aucun intérêt pour les bijoux, elle ne veut pas me montrer des richesses, elle veut ressusciter des êtres chers morts depuis longtemps, rétablir autour d'elle un monde où elle existait pleine-ment, regonfler momentanément sa pauvre vie désormais si réduite. Dans la résidence de retraite où elle n'est plus personne, elle veut se rappeler qui elle est. Pour cela, elle a besoin de moi. Je vais aider ma mère à exister, trop heureuse qu'elle en ait encore le désir.

Voici d'abord l'alliance de ma grand-mère, un anneau réduit à un mince fil et qui a fini par s'ouvrir. "Les travaux des champs, tu com-prends." Puis le bracelet de ses seize ans, un jonc finement ciselé que j'ai longtemps convoité, dédoré maintenant. Puis le reste d'un très long sautoir, qui avait été divisé en plusieurs frag-ments, dont un pour ma cousine et un pour moi.

Chaque objet est riche de sens, elle en retrace l'historique selon le même ordre, avec les mêmes intonations et exclamations. Je n'écoute pas vraiment, je la regarde, fascinée par l'excitation intense qui agite ses traits.

Roulement lointain de la circulation, glisse-ments feutrés dans les couloirs de la résidence, rideaux masquant la fenêtre, murs resserrés autour de nous, le soir tombe, je glisse dans une transe hypnotique. Petit à petit, je me vide de ma substance tandis qu'elle s'anime de plus en plus. Captée par ma mère, je flotte dans les remous et tourbillons de sa vie qui revient bouillonner si fort, comme autrefois lorsque je n'étais qu'un infime satellite à peine formé et qu'elle était au centre du monde.

Parfois mon attention se réveille : j'apparais dans son discours.

De la partie de sautoir qui m'était échue, on avait fait un bracelet. Un jour, dans un champ qui borde la rivière Gartempe, il avait glissé de mon poignet. Tout le monde avait interrompu la partie de pêche. Mes oncles, mes cousins s'étaient mis en rang à un mètre d'intervalle et le ratissage avait commencé. Mon père avait pris la tête de ce commando de recherche. Longtemps après, continuant à chercher alors que tout le monde avait abandonné, il avait aperçu le reflet brillant entre les herbes. "Tu vois, m'avait-il dit, il ne faut jamais lâcher. C'est la ténacité qui l'emporte." Il était heureux et j'avais été fière de lui.

C'est bien de moi qu'il s'agit dans cette légende familiale rebrodée au gré des uns et des autres. J'ai eu des cousins, des oncles et tantes, nous allions en groupe à la pêche, j'ai fait partie d'une famille. Pourtant ce ne sont pas mes souvenirs, ce sont ceux de ma mère. Je suis dans sa vie, mais ce n'est pas ma vie. Quand ma vie à moi a-t-elle commencé ? Où est-elle, ma vie à moi, en ce moment ? L'écriture m'a emmenée loin, m'a séparée des miens, de ma mère. Je suis là devant elle, mais je l'ai trahie, moi sa fille, "elle m'a fait pleurer toutes les larmes de mon corps" (confidence à ma belle-sœur). Je suis sortie de ce qui était notre vie commune pour aller là où personne ne pouvait me suivre, où je ne voulais personne, où nos chers souvenirs n'étaient que matériaux pour mes constructions solitaires. Ma mère ne s'est jamais résignée à cet abandon, elle n'a cessé de lutter pour me ramener près d'elle.

Mon hébétude s'accroît, un étau me serre les tempes. L'appartement est si petit. Je me lève pour ouvrir la fenêtre, mais : "On va nous voir." Il me semble qu'il fait sombre, je veux allumer d'autres lampes, mais : "On n'a pas besoin de tant de lumière." Ma mère est d'une époque où on ne gaspillait pas la lumière. L'électricité n'était arrivée que tard au village, c'était un luxe, on allumait au tout dernier moment, quand la nuit gagnait sur le crépuscule. Elle en a gardé des réflexes : éteindre derrière soi, dans les pièces qu'on quitte, se contenter du plafonnier, les lampes surtout pour la décoration.

Mon agitation la perturbe. J'ai envie de m'échapper et elle le perçoit. Elle se sent bien dans cette demi-pénombre, enserrée par les quelques meubles qui lui restent, sa fille prise au filet de ses paroles, immobile. La fenêtre c'est le dehors, l'appel du grand large où elle n'a plus sa place. La lumière, c'est le monde crû-ment dessiné, l'appel d'un affairement qu'elle ne peut plus assurer. Dans la lumière, mon corps d'adulte séparé du sien serait trop visible, grossi et démultiplié par le miroir déformant de ses yeux de vieillard. La fenêtre, la lumière : des menaces. Ce qu'il lui faut en ce moment, c'est un nid étroit et deux ombres chuchotant dans la pénombre.

Je n'ouvre pas la fenêtre, n'allume pas les lampes. Pas de bagarre ce soir. Je renonce. Etrangement (cette confusion, toujours, avec ma mère), je me sens bien moi aussi, dans cet espace restreint et obscur qui est comme une préfiguration de la tombe. Je ne sais comment définir cette sensation de bien-être qui côtoie son contraire, la révulsion, la colère. Le sentiment d'être chez moi, dans le seul lieu qui m'appartienne vraiment, hors de toute illusion, petite enfant, fœtus... Pourquoi ne puis-je dire simplement que je suis bien avec ma maman ?

Il y a autre chose.

Si j'oublie ma vie (mon appartement, mon compagnon, mes livres, mes ambitions...), si je refrène l'énervement de mes muscles et de mon esprit, je discerne des variantes dans son discours d'historiographe, des accélérations par exemple, qui me révèlent sur elle des choses secrètes. Sa parole a toujours été si catégorique, si bien rôdée, établissant le monde tel qu'elle le voulait, auquel elle m'a fait croire avec toute la force de sa puissance maternelle. Ma mère, plus forte que l'inconscient.

Mais je le débusque, moi, cet inconscient de ma mère, le débusquer, c'est ma passion, mon obsession, ma drogue. Lorsque j'en perçois l'affleurement, une trémulation se fait en moi, je suis comme un chasseur sur la piste, je suis prise au jeu, je suis prise. Sans le savoir, d'une façon qu'elle haïrait, qu'elle renierait avec violence, elle me ramène à elle, me fascine perversement, je suis comme une ombre avide, un vampire attaché à ses pas, déchiquetant et triturant la pâte de sa vie. Lorsqu'elle mourra, je serai libre et vide et toute chose dans le monde sera égale.

Le sautoir. Ma partie de sautoir, mon bracelet à moi, quand j'étais petite. J'insiste.

Elle n'a pas envie de s'attarder sur le sautoir. C'est un bijou qui venait de mon autre grand-mère, c'est-à-dire de la famille de son mari, pas de la sienne, et à l'intérieur de cette famille étrangère, d'une branche encore plus étrangère, qui avait eu du bien et de la religion. Des négociants, des prêtres, des nonnes, un "médecin du roi". De quoi hérisser ma petite princesse de village ! Ces gens, des renards à fourrure et langue fourbe pour ma petite poulette de la ferme ! Mais ce n'est pas tout. Il y a la pêche aussi, dans cette histoire de sautoir. La pêche était l'affaire de mon père, avec la voiture l'autre domaine réservé de sa virilité. Ah ah, jalouse, ma petite mère ?

Je voudrais savoir ce qu'il y avait entre mes parents. Je voudrais qu'elle me parle de son mari. Que voyais-je de ces parties de pêche ? Canne, boîte à vers, gibecière et casse-croûte préparés depuis la veille, départ à l'aube, il portait des cuissardes (ce mot troublant), un grand chapeau, un couteau à la ceinture, il paraissait plus grand, plus fort, il ressemblait au chasseur des contes de fées, retour vers le milieu de l'après-midi, les truites sur la table de la cuisine, il ouvrait les ventres blancs, expansif, bavard (il y avait eu un taureau dans le champ, des chiens sauvages dans les chemins), je buvais ses histoires, sa présence, pour une fois qu'il n'était pas dans son bureau mais avec nous tout entier, et prévenant, gentil, "je les ferai cuire ces truites, je m'occupe de tout", à moi "elles sont belles, hein, toutes fraîches", à ma mère "j'ai rapporté le dîner, tu es contente ?", trop gentil, je percevais une tension sourde. Elle n'était pas contente, je crois. Les paysans de son village ne pêchent pas, la pêche est une distraction futile de citadin, était-ce cela ? Ou était-ce mon empressement autour de lui, mon admiration naïve ? Ou tout autre chose ? "Ton père aimait la pêche, tu sais", me dit-elle. Point final. Je n'ai jamais réussi à l'emmener plus loin, nous ne serons jamais deux adultes à égalité, deux amies, deux copines.

Elle revient sur l'histoire de la bague de sa mère : ma grand-mère pour ses fiançailles avait voulu deux bagues, une pour la semaine, une pour le dimanche. Une pour les travaux de la ferme, une pour les visites et les bals. "Tu te rends compte, pour une paysanne…" Je recommence à sentir le vieux picotis dans la gorge, la lourdeur qui me bétonne la tête. "Elle les a eues, ses deux bagues, alors ?" dis-je en essayant de rire. "Tu la garderas, toi, celle-ci", continue ma mère. Elle ne répond pas à ma question.

Ce qu'étaient mon grand-père et ma grand-mère, jeunes fiancés, je ne le saurai pas. Ils étaient les héritiers des deux familles du village qui avaient le plus de terres (les terres pauvres de la Creuse), destinés l'un à l'autre depuis l'enfance. Avaient-ils été très amoureux, la famille de mon grand-père avait-elle murmuré contre cette extravagance, le jeune homme avait-il dû se battre pour répondre au désir de sa promise, y avait-il eu querelle ? Elle ne m'en dira rien.

Peut-être mes questions ne sont-elles pas les bonnes, mal formulées, avec des mots d'aujourd'hui qui ne conviennent pas, avec un point d'interrogation qui fait violence… Je suis souvent brutale avec ma mère.

Virement soudain. Ce qui l'intéresse maintenant, ce n'est plus d'auréoler ses trésors d'une histoire, mais de mettre sur chacun l'étiquette du legs. Et, aujourd'hui, presque tout serait pour moi. "Ton frère, ça ne l'intéresserait pas, tu les prendras toi…"

Modestes bijoux de campagne, ternis, cassés. Pourquoi ne m'a-t-elle pas donné le bracelet quand j'étais jeune fille, quand il me faisait envie ? Pourquoi me fait-elle ses dons quand il est trop tard ? D'ailleurs, elle ne me les fait pas. Le don est au futur. Le don me parle de sa mort. Elle veut mettre sa mort devant moi. J'éprouve une grande colère.

Ma colère, c'est que ses bijoux me paraissent si pauvres, c'est qu'elle n'ait jamais songé à s'en acheter pour elle, à m'en offrir, par simple plaisir ou coquetterie interposée, des bijoux qui m'évoqueraient de gais moments de futilité partagés et non pas cette lourde tristesse du temps révolu, qui fait d'eux comme ces décorations de fer rouillé sur les tombes des cimetières.

Ma colère, c'est que je pense à sa mort, à ma mort.

— Ces boucles d'oreilles, tiens, je les ferai arranger, dit-elle.

Ce sont de petites boucles fines, pour lesquelles on faisait autrefois percer les oreilles des petites filles. Pauvre dérisoire armure ! Imagine-t-elle qu'elles l'aideront à guerroyer dans ce dernier combat de son vieux corps usé ?

— Tu ne les mettras pas, dis-je.

— Oh mais si, il faut bien, ici.

Il faut bien.

C'est-à-dire qu'elle méprise ces étalages de futilité, qu'elle y est forcée par l'ambiance de ce lieu où elle se trouve réduite à vivre contre son gré, et que c'est presque faire injure à la mémoire de ses morts que d'utiliser leurs chers

souvenirs pour impressionner les vieilles emplumées de la résidence, ces dames "qui ne sont
pas de mon milieu".

— Je les montrerai au directeur, ajoute-t-elle.

De nouveau, je suis en colère. Pourquoi ne
les mettrait-elle pas pour moi, pour elle, ces
ridicules et touchantes petites boucles d'autrefois ? Et ce "monsieur le directeur" ! Ce rapport
de hiérarchie. Son "monsieur le directeur", c'est
sur son dos qu'il gagne son salaire, sur les
imposantes charges mensuelles payées par les
pensionnaires.

Je détecte une survivance d'un univers d'autrefois, les déférences obligées, le carcan des
contraintes et des peurs, la soumission à l'ordre
imposé d'en haut. Et moi ? Suis-je semblable à
elle ? Ai-je cette coquetterie timorée, une féminité honteuse ?

Sexy. Un mot qui n'existait pas pour la génération de ma mère et qui est omniprésent pour
la génération de la fille de mon compagnon. Je
suis entre deux générations. Le "sexy" m'est
tombé dessus à cinquante ans. Bon courage,
madame !

Et mes "directeurs" à moi ? Ils ont été innombrables. Presque tous les hommes, sauf les très
jeunes.

Pourtant, elle rit. Je vois bien qu'elle voudrait
me rendre complice de ce rire. Mais je ne sais
pas jusqu'où va la déférence, jusqu'où va la
dérision, si elles se recouvrent ou si l'une
domine l'autre. Je suis dans la confusion avec
ma mère. C'est ainsi qu'elle gagne sur moi.

Ce que je vois, c'est que ces boucles minuscules qu'elle veut faire arranger, ou la bague
ternie de ma grand-mère à son doigt ou sa
propre bague de fiançailles à laquelle manque

un zircon, ne font pas beaucoup d'effet. Elles ne brillent pas, n'attirent pas le regard, ne se signalent pas comme "bijoux".

Ceux que portent les dames de la résidence sont différents, ils se voient. Sous les permanentes à reflets violines, sur les cous affaissés bien encadrés par des chemisiers coûteux, sur les mains tavelées aux ongles impeccablement vernis, ils attirent l'œil.

Le directeur est très aimable avec ces dames.

Les dames, le directeur.

Il y a des enjeux dans cette résidence de vieillards, ma mère n'est plus la chef, il faut faire attention.

Sous la cellophane, même les visiteurs ont à apprendre.

Mon amie Aurore m'a dit : "Il faut que tu mettes les noms…"

Le nom des personnes, de la résidence, de la ville. "Pourquoi ?" "Si tu veux que ton livre touche les gens, il faut mettre les noms", a-t-elle répondu.

Un livre ? Le mot tombe comme une pierre sur la table du café où nous prenons le déjeuner de midi, rendez-vous hebdomadaire que nous essayons de maintenir en dépit de tous les contretemps. C'est une secousse, il me semble voir s'entrechoquer les verres et voler les serviettes de papier.

Un livre, toucher les gens… Je n'en suis pas là.

Aurore hausse les épaules : "Pourquoi tu écris tout ça, alors ?"

Quand nous nous sommes connues, Aurore et moi, nous parlions de nos enfants et de nos amours. Un jour, nous nous sommes aperçues que nous parlions de nos parents. Pendant une dizaine d'années, au téléphone, au café, sur le lieu de notre travail, nous avons parlé de nos parents. Plus ils s'enfonçaient dans le dédale de la vieillesse, plus nos conversations se multipliaient. Etape après étape, nous avons suivi le vieillissement, l'agonie puis la mort de quatre personnes.

J'ai mis les noms. La ville, la résidence, et les personnes : le directeur, les vieilles dames, le médecin, les infirmières, la coiffeuse, mon frère, tous les acteurs de ce dernier acte de la vie de ma mère.

Puis j'ai tout enlevé. "Je ne peux pas", dis-je à Aurore.

Seul reste "je", qui est moi. Moi, dont le nom est sur la couverture de mes autres livres. Mais dans ces livres-là, "je" n'est pas moi. L'est-il dans ce "livre" sur ma mère ?

Ma rencontre, un jour, avec un écrivain, une femme qui a fait de sa propre vie et de celle de ses proches l'objet de son écriture : "J'ai l'impression de creuser, de m'enfoncer dans un puits." Mon étonnement. L'écriture pour moi, ce n'était pas le puits alors, mais l'espace, gambader, explorer…

J'ai la nausée, de brefs accès qui me prennent à l'improviste, et mal au ventre presque tout le temps. Je suis allée voir un médecin, un autre. Puis j'ai abandonné. A quoi bon ? Ne reconnais-tu pas l'hôte secret enroulé au cœur de ton cœur, lové dans chacune de tes cellules d'être vivant ? Demain ce sera la migraine, puis autre chose. L'hôte secret qui pense au fond de la chair se débat, la houle qu'il soulève déferle sur telle partie du corps, puis mystérieusement sur une autre. Cela se fait par brefs allers et retours, ou au contraire par longues séquences. En général, de façon assez discrète, car je tiens bien ma barque.

Cette fois, mon hôte secret manque de discrétion. Il me secoue rudement. Je ne tiens pas bien ma barque.

L'écriture n'est pas solide. Chacun de ses vacillements me fait rouler d'un bord à l'autre, je ne sais pas m'y prendre, je ne sais pas comment faire. Les mots ne sont plus mes amis, ils ne veulent pas aller ensemble, leur musique me rebute.

L'écriture des autres, même de mes contemporains, même de ceux que je jalouse, m'a toujours été d'un grand secours. Quand j'oublie que je suis un écrivain, quand plus rien ni personne autour de moi ne me le rappelle, quand cette activité paraît vraiment trop vaine, je cherche un livre. Pas pour renouer avec des personnages ou retrouver des émotions. Seulement pour éprouver ceci : la mise en tension des mots.

Je veux me rappeler comment l'écrivain a profilé ses phrases pour entrer dans son sujet. D'ailleurs, le "comment" ici est de trop. Je veux simplement rééprouver cela : que certains se consacrent à profiler des phrases pour pénétrer des mondes qui, sans ces phrases ainsi exactement profilées, resteraient inconnus.

Dans ces gestes (tendre le bras vers l'étagère, tirer le livre, parcourir quelques phrases au hasard), je guette en moi l'éclosion d'une vision.

Elle est à peu près toujours la même : au centre une forme aux contours flous, peut-être une montagne, d'une texture indéterminée mais dotée d'un magnétisme puissant. Un être humain apparaît en silhouette devant cette montagne. La silhouette se déforme au gré de ses tentatives pour aborder la montagne. Soudain elle trouve une façon de tourner les épaules, de se présenter. Cette manière de tourner les épaules, de se présenter, c'est le tranchant de l'écriture. La silhouette peut alors pénétrer la montagne.

Je n'ai pas besoin qu'advienne une vision aussi complète que je l'ai décrite. Il me suffit du mouvement, du frisson qu'il me donne.

Mais cette fois, pas de secours.

Aurore voit qu'elle m'a fait de la peine. "J'ai envie que ton livre se vende", dit-elle.

Je ne sais pas écrire un témoignage. Un témoignage, c'est la vie de tout un chacun copiée au plus près. Pour la vie copiée au plus près, je n'ai pas besoin d'un livre. Il me suffit de mes conversations avec mon amie. Nous savons tout l'une de l'autre, de la misère de nos parents vieillissants, de la détresse que nous cause le délabrement progressif, inexorable, de leur vie. Nous savons qu'au-delà du fardeau qu'il nous fait porter au jour le jour, c'est l'image de notre propre vieillissement que nous contemplons, à cru et en pleine lucidité. Vifs, nous contemplons les mourants. C'est une torture étrange.

La fille de mon compagnon prépare son épreuve de philosophie pour le baccalauréat. Elle s'est installée avec trois amies dans le salon. De mon bureau, je les entends pépier allégrement. Un mot surnage : la mort. C'est le thème de leur révision aujourd'hui. Comme ce mot "la mort" rebondit entre elles ! C'est un mot-ballon, auquel elles accrochent des bribes de cours, des citations apprises, des anecdotes de leur classe, des bavardages sur leur professeur entrecoupés de fous rires. La mort est un cerf-volant dans le ciel de leur adolescence sur lequel elles tirent avec les quelques fils qu'elles ont glanés dans leur classe de terminale. Et s'il pouvait avoir quelque sens pour elles, c'est justement qu'il apparaît dans cette dernière année du lycée, la dernière année de leur enfance à elles. Mais là n'est pas l'objet de leur étude, de leur examen.

Pour mon diplôme en faculté (aujourd'hui on dit DESS), j'avais choisi le thème de la mort chez un poète irlandais. J'avais vingt ans. A l'oral, lors de l'exposé de mon travail, mon professeur, un homme âgé, m'avait écoutée avec attention et respect. Il avait posé quelques questions puis m'avait donné une note, tout à fait satisfaisante. Au moment de nous séparer, soudain : "Bien sûr, vous ne savez rien de la mort." Aucune dérision dans ses paroles, une voix différente, sourde, pleine de compassion. J'ai oublié tout ce qu'il y avait dans ma thèse, je n'ai jamais oublié cette phrase. Je l'entends encore aujourd'hui.

Mon amie Aurore sera contente, j'espère, de ces deux histoires, celle de l'enfant qui étudie le concept de la mort en philosophie, celle du professeur âgé devant le devoir de sa jeune étudiante sur la mort dans la poésie irlandaise. J'ai mis son nom aussi.

Vraiment je suis comme une enfant, qui s'applique comme on le lui demande, puis qui essaye timidement quelque chose de sa façon et aussitôt recule. J'ai peur de mon ombre, de l'ombre de mes mots et de l'ombre de la mort.

Je ne crois pas que la femme dont je parle soit ma mère, ni que le "je" que j'emploie soit moi. Au fur et à mesure que j'écris, une configuration prend corps, plus forte que moi et mes souvenirs, je m'aperçois bientôt que c'est elle qui domine, je ne peux m'empêcher de lui obéir. Inexorablement déjà : gommages, surimpressions, traits chargés ou effacés. J'utilise ma mère, comme j'ai utilisé bien d'autres gens de ma vie, les lieux et paysages, et moi-même.

Ce n'est pas la vérité de ma mère que je poursuis. A tout instant je me dis "j'ai oublié ceci ou cela", mais la configuration à laquelle j'obéis n'en veut pas. Je me tortille longuement, l'écris quand même, mais rien à faire, ça ne passe pas, je reste des jours à traîner sur ce problème. On me demande ce que j'ai fait, si j'ai bien travaillé, je n'ai rien fait, est-ce du travail, ce ressassement, tourner en rond chez soi, sortir dans la rue pour une course inutile, commencer une tâche et l'oublier à mi-chemin, lire en dérapant sur les lignes, je ne fais rien, je suis dans un état de somnolence, et pourtant une fatigue si grande. Vraiment alors il n'est pas bon de rencontrer les autres, qui travaillent durement, réalisent des choses, "avancent".

Et en même temps, quelqu'un en soi : à l'écart, dur et alerte, qui semble savoir ce qu'il veut et manœuvre selon ses voies, quelqu'un dont on pourrait dire qu'il "tuerait père et mère", s'il le fallait.

Ce personnage-là, je le connais bien, mais cette fois il me malmène, ses micmacs me blessent, et m'exaspèrent.

"Alors, me dit Aurore, qu'est-ce que tu attends ?" Quoi ? De finir ce livre. Pas envie. Envie de dormir.

COLLIER

Je n'y connais rien en carats et autres subtilités de joaillerie. Je me souviens que dans notre ville, en Creuse, il y avait une entreprise Fix. Fix, c'était du plaqué or, et cet or était légèrement rosé, discret, de peu d'éclat. Qu'est-ce donc que portent les dames de la résidence ? De l'or pur ? Cela existe-t-il ?

C'est ainsi qu'un jour d'exaltation, j'appelle les deux seuls hommes adultes de la famille maintenant si réduite de ma mère : mon frère (son fils), mon fils (son petit-fils). Je leur dis : pour Noël, on va acheter un collier en or à maman. "Tu crois que ça lui fera plaisir ?" dit mon frère, étonné.

"Super !" s'exclame mon fils. Elle n'a vraiment rien, dis-je, et vous savez comment c'est, dans cette résidence.

Mon frère a approuvé, content de pouvoir s'en remettre à moi, pour une fois. Cela n'arrive pas souvent, maintenant. Il est médecin, c'est lui qui doit courir vers elle, à chacun de ses appels de détresse, même au milieu de la nuit, même au milieu d'une journée chargée de consultations et d'opérations, et établir le diagnostic de son état, faire la part des choses, la calmer, puis le soir ou le lendemain m'expliquer le tout à moi.

Pour une fois, je peux prendre les choses en main. Les cadeaux à notre mère, c'est mon affaire : je suis la fille. Il marchera les yeux fermés dans ma combine. Par avance, il est d'accord sur tout, mon choix, le prix, la date. Il est content, moi aussi. Peut-être retrouvons-nous une situation très ancienne, la grande sœur responsable, le petit frère confiant. Nous sommes différents en tout, si nous n'étions frère et sœur nous ne nous serions jamais rencontrés, mais le lien établi dès le jour de sa naissance, noué et sans cesse renoué par notre mère, ne peut se rompre. Nous n'avons pas de querelles, ne pouvons en avoir. "L'entente entre mes enfants, c'est ce que j'ai de plus cher", dit notre mère. Et malgré la grandiloquence sentimentale que nous détestons, nous n'avons pas pipé. Pour une fois, il n'y avait ni sous-entendu ni non-dit, c'était vrai : l'entente entre ses enfants, c'est ce qu'elle a de plus cher, le nœud le plus solide qu'elle ait noué, nous ne songerions pas à en arracher un fil.

Mon fils est content aussi. Il ne s'inquiétera pas du prix, ni bien sûr de l'objet lui-même. "Super, c'est sympa", a-t-il dit, et il est aussitôt passé à autre chose. Un cadeau à sa grand-mère, un bijou qui plus est, lui permet de passer à autre chose. Ni inquiétude ni lourdeur là-dedans. Un bijou à sa grand-mère, c'est "sympa", cela ne parle ni de maladie, ni de mort, ni de solitude, ces choses sombres qui ne l'ont pas encore atteint, qu'il devine dans des confins enveloppés de brouillard, qu'il écarte. Un bijou, cela parle de la vie, de la vie quand elle brille.

Le cadeau nous fait plaisir à tous les trois. Me reste à moi la tâche de l'acheter.

Là, les choses se gâtent. Je me suis offert à moi-même quantité de bijoux fantaisie, achetés au hasard, parce qu'ils m'avaient tapé dans l'œil sur l'instant. Mais en acheter un de façon délibérée, non, je ne l'ai jamais fait. Où aller ? Près de chez moi, il y a une petite joaillerie à la vitrine peu tapageuse. Mais, même dans cette boutique de quartier, je perds vite mes moyens. Une cliente est déjà là, une femme au ton assuré, qui m'évoque aussitôt en plus jeune les dames de la résidence. Les chiffres (les prix) qui s'énoncent dans la discussion avec le joaillier me troublent. Je ne suis pas bonne en chiffres et j'ai pu me tromper. Mais même avec un zéro en moins, cela ne correspond guère à ce que je connais. Je fais semblant d'avoir tout mon temps, il n'est pas question que je raconte mon affaire devant cette femme. Enfin elle part. "Je désire voir des colliers en or", dis-je. J'ai réussi à prendre le ton négligent de qui a l'habitude. Trop bien réussi. Le joaillier dispose sur un présentoir de velours trois ou quatre colliers... dans la lignée de celui de la cliente précédente. Je m'absorbe dans la contemplation. Comment me dépêtrer de ce piège ?

"C'est pour une dame âgée, il faut quelque chose de plus simple." Je n'ose pas dire "moins cher". "Celui-ci, me fait observer le joaillier, qui n'a pas encore compris, est d'une conception très épurée." C'est vrai. Rien à dire, il est beau, il est épuré. Mais aussi il clame le haut de gamme, les cocktails photographiés dans *Paris-Match*, les magazines *people*, que sais-je. Soudain je m'entends dire "c'est pour une ancienne gouvernante de notre famille". Mes mains sont moites, je me sens à la fois très rouge et très pâle. Comment puis-je faire cela à ma mère, cette honte ?

Non, maman, tu n'aurais pas honte, tu serais furieuse, tant d'argent pour une babiole, est-ce ainsi que je vous ai élevés, mes enfants, ne vous ai-je pas appris l'économie, le budget bien géré, ne pas faire de dettes, ne pas dépenser plus qu'on ne gagne… ?

Ma mère n'aime pas le cadeau pour le cadeau, elle aime l'utile. "Quel sens ça a, de s'encadeauter comme ça !" à propos de tel ou tel porté aux effusions dispendieuses. Non, si nous voulons lui faire plaisir, il faut doser notre geste. C'est l'intention qui compte. Le cadeau est la simple matérialisation de l'intention. Il faut veiller à ce que la matérialisation n'écrase pas l'intention. L'intention doit luire pudiquement à travers une très mince paroi de matérialisation. Pendant que ces phrases tournent dans ma tête, le joaillier a rangé son premier assortiment et préparé une nouvelle sélection. Cette fois, cela ne va pas du tout. C'est du grossier, du tocard, qui brille pour briller, de la "joncaille", dirait mon compagnon qui a le goût de la gouaille. Du coup, je retrouve un semblant de vigueur. "Non, dis-je, c'est une dame qui a beaucoup de classe."

Là, je suis en terrain plus sûr. Ma maman certes n'était pas portée à la coquetterie, toujours elle choisissait le plus simple, le plus modeste (de la qualité cependant), mais elle ne faisait pas de faute de goût.

Je ne suis pas sûre de ce que signifie cette curieuse expression : "une faute de goût", mais je suis sûre que ma mère n'en commettait pas. Et, monsieur le joaillier, ma maman préférait m'acheter des livres plutôt que des breloques, ma maman fréquentait plutôt les magasins d'articles ménagers que les boutiques de frivolités, ma maman faisait elle-même nos rideaux et dessus-de-lit, n'allait pas au cinéma mais veillait avec ses enfants les veilles de composition (on dit "contrôle" aujourd'hui), ne prenait pas de vacances pour elle mais les envoyait en séjours linguistiques, ma maman n'avait pas de bijoux mais nous faisions nos études dans les meilleures conditions, ah ah monsieur le joaillier, si vous saviez, il faut qu'elle soit bien affaiblie, bien raplatie, pour que je sois là maintenant à vous acheter ça, un collier en or.

Je suis sortie la tête en feu, peu satisfaite de mon achat (rien, rien ne convenait pour une maman comme la mienne), inquiète de sa réaction, furieuse de mes hésitations, j'ai fumé plusieurs cigarettes.

Plus tard, j'ai sorti le collier de son écrin. Il avait une brillance douce sous la lumière de la lampe. Je l'aurais bien gardé pour moi.

J'ai téléphoné à nos deux hommes. Bien, bravo, ont-ils dit. Affaire faite en somme, rien de plus à en dire. Les chèques (leur tiers à parts égales) me sont arrivés deux jours plus tard.

Cette affaire des cadeaux à notre mère est récente pour mon frère et moi. Entre les babioles enfantines fabriquées de nos mains et les cadeaux "achetés" de l'âge adulte, il s'est écoulé une longue période, celle de la maturité et de la vigueur "idéologique" de notre mère, où nous ne savions trop comment nous y prendre. Nous rapportions de menus souvenirs de voyage, nous envoyions des fleurs, guère plus et sans être sûrs de faire plaisir. Pourtant… Une écorce indienne que j'avais ramenée du Mexique, décorée d'oiseaux peints aux couleurs vives, a occupé une place de choix dans le salon de mes parents. Ma mère l'avait fait encadrer, elle la montrait et l'"expliquait" à ses visiteurs.

Voulait-elle, ne voulait-elle pas de cadeaux ? Lorsque j'essaye aujourd'hui de clarifier cette question, j'entre dans un dédale si complexe qu'il semble n'avoir pas de fin, il me faudrait remonter plusieurs générations, faire entrer des données sociologiques et historiques, il faudrait... il aurait fallu une intuition simple, il aurait fallu plus d'amour. De cette sorte d'amour peut-être impossible entre mère et fille.

Il y a quelques années, nous avons commencé à lui faire des cadeaux plus conséquents : manteaux, foulards de prix. Elle était déjà dans son déclin, nous avions plus d'audace. Malgré les réticences habituelles, cela ne se passait pas trop mal. Elle les portait, nos manteaux et nos foulards, ne manquait jamais de signaler qu'ils venaient de "ses enfants". Ces réticences qui nous avaient rebutés, que nous avions prises pour argent comptant, n'étaient peut-être après tout que les traces de son éducation villageoise, la politesse paysanne qui fait dire le contraire de ce qu'on pense... Mais elle était si moderne, si désireuse de modernité, si ardente et catégorique dans ses refus des archaïsmes obscurantistes. Comment s'y retrouver ?

Ma mère : un écheveau inextricable où se mêlent plusieurs strates de civilisation, rendues presque invisibles par la clarté brutale, aveuglante qu'elle voulait projeter, et une ombre antique, insondable, qu'elle niait avec la même violence. Ma mère : une énigme fichée au cœur de ma vie. Ma mère : mon socle et ma plus grande confusion.

Que s'est-il passé avec le collier en or ? Rien de très inhabituel. "Pourquoi avez-vous fait cela, j'en avais déjà, des colliers." Lesquels ? Elle a ressorti la boîte de ses trésors, a oublié qu'on y cherchait un collier "portable", s'est à nouveau lancée dans l'historique de chacun des objets, les souvenirs de ses grands-mères, etc.

On a installé le collier à son cou. J'ai vu tout de suite qu'elle ne pourrait utiliser le fermoir, trop petit, d'un maniement délicat. "Mais ça ne fait rien, mon petit." Cela voulait-il dire que le cadeau était importable, qu'elle trouvait ce moyen de le dire sans nous faire de peine ? J'ai fait mettre un fermoir plus gros. "Je te donne bien du souci." Mais elle a gardé le collier à son cou. "Ce fermoir, ce n'était pas la peine, je ne l'enlèverai plus, tu sais." C'est-à-dire, jusqu'à sa mort ?

Elle a montré le collier à M. le directeur. "De mes enfants. Hein, une vieille dame comme moi !" Cette scène, je l'invente peut-être, peut-être a-t-elle eu lieu à une autre occasion, avec d'autres acteurs. Ce que je n'invente pas, c'est la magnifique réussite de ce geste. Le mouvement de la main, le sourire, la provocation amusée. Dans cet acte périlleux (une vieille femme, un bijou), où bien d'autres se seraient ridiculisées, ma mère s'est montrée d'une séduction totale. Encore une fois, elle m'a déjouée, elle m'a stupéfiée.

Maintenant que j'y repense, après sa mort, j'ai envie de pleurer. Ma mère, un collier ! Elle qui méprisait tant les bijoux, les fanfreluches. Cette arme pitoyable contre l'enserrement inexorable de la pellicule de cellophane. A genoux, déjà presque ligotée, étouffée, cela : un collier en or. Elle s'est pliée, soumise aux règles du dernier cercle, le jardin des leurres et des apparences, et j'ai prêté la main à cette tricherie, et elle l'a fait pour nous, ses enfants, pour "nous faire honneur", dans la résidence de retraite, dans cette nurserie de vieillards, crépie de rose, baignée de sourires artificiels et de paroles feutrées… que la vue des corps en perdition ne trouble pas les vivants, faisons semblant, jusqu'à la dernière parcelle de chair qui tient encore debout !

Elle a fait semblant, ma maman, avec ce collier anonyme qui n'évoquait aucun de ceux qu'elle voulait rejoindre dans le caveau du cimetière de son village, ne pouvait ni la réchauffer ni la soutenir pendant les longues heures de l'attente dans son couloir rose de la mort, un collier au lieu du visage de ses enfants.

PEAU

Tout enfant, elle était tombée dans une bassine d'eau bouillante, posée sur le sol de la cuisine, destinée à la lessive (il n'y avait pas l'eau courante à la ferme, a fortiori pas l'eau chaude). Il lui en était resté une plaque de couleur plus foncée, sur le devant de la cuisse, qui la démangeait.

Cette partie de la peau de ma mère focalisait mon trouble. Elle relevait sa jupe jusqu'à la tache, grattait vivement, rabattait la jupe d'un geste rapide. Ses ongles sur le bas produisaient un petit crissement. Ma mère n'était pas femme à montrer ses jambes, qui étaient étonnamment belles pourtant, encore moins ses cuisses.

Des années plus tard, je vivais aux Etats-Unis alors, j'ai vu le film *Le Grand Sommeil*. Le père de Lauren Bacall a engagé les services du détective privé Humphrey Bogart. Entre la belle jeune femme et le détective, il y a tout de suite des étincelles. Lauren Bacall se rend dans son officine, elle est assise sur son bureau. Ils sont engagés dans une sorte de duel oral, rapide, tendu. Mais sous le persiflage, on perçoit une autre tension, légère, papillonnante. Soudain, Bogart dit : *"Go ahead, scratch !"* (Allez-y, grattez !) et Lauren relève sa jupe, d'un geste preste et pudique, gratte, puis rabat la jupe. La scène est célèbre. On dit qu'elle n'était pas prévue au scénario, il s'est trouvé que l'actrice avait une démangeaison, que l'acteur qui n'avait pas pour elle que des yeux professionnels l'a perçu, et que cet impromptu a été trouvé si charmant qu'il a été gardé dans le montage final. C'est un moment nullement nécessaire au déroulement de l'histoire, mais qui, une fois inscrit dans le film, semble essentiel, devient emblématique.

La peau de ma mère m'était si familière, elle doublait et enveloppait la mienne, elle était le lieu essentiel de mon frottement avec le monde extérieur, parfois elle me causait de la répulsion, je ne voulais pas être touchée, me repliais en panique sur moi-même, parfois au contraire elle m'attirait invinciblement, c'était la paroi de mon nid, le parfum en était comme une nourriture, je me lovais contre ma mère, embrassais son cou, ses mains.

Mais la tache sur sa cuisse blanche ne m'appartenait pas. Elle marquait un territoire mystérieux et inquiétant, comme une zone de marais au fond du jardin. On s'arrêtait au bord, interdit. C'était le passage secret donnant sur le gouffre du temps, sur les années où notre mère n'était pas notre mère. Quand ses doigts crissaient sur le bas, il me semblait qu'elle frappait à la porte de ce temps qui nous était inaccessible. Là, sous la tache foncée, se trouvait la petite fille qu'elle avait été, la ferme dans laquelle elle avait vécu, la campagne immémoriale de la Creuse, sur laquelle déjà s'était allongée l'ombre de la Première Guerre mondiale.

Mon grand-père (son père, plus jeune alors que ne l'est mon fils aujourd'hui) était au front.

Ma mère ne savait pas ce qu'était le front, elle entendait ce mot et celui de guerre, elle pensait que le front et la guerre étaient des pays lointains où il faisait noir. Ce jour de sa chute dans la bassine d'eau bouillante, elle devait aller rendre visite, de l'autre côté du village, à une voisine qui avait une fillette de son âge. C'était une fête. Ma petite mère sautait de joie dans la cuisine. Quelques instants plus tard, elle était allongée livide sur le lit, ses grands-mères pleuraient, quelqu'un était allé chercher le docteur en voiture à cheval, le docteur ne lui donna que peu de chances de survivre. Elle resta couchée plus d'une demi-année, le changement des pansements a dû lui causer des souffrances terribles. Lorsqu'elle a pu se lever, elle ne savait plus marcher.

Quelques mois avant l'accident, les cloches des églises de tous les villages environnants s'étaient mises à sonner. J'imagine qu'on entendait la réverbération de ce son métallique d'un horizon à l'autre, qu'il emplissait le ciel comme aucun orage ne l'avait jamais fait. C'était le tocsin, la déclaration de guerre. Mon grand-père était aux champs. Il a laissé tomber sa fourche, n'a pas ajouté un geste au travail commencé, s'est mis en marche vers le village. Chez lui, il a pris sa fillette dans ses bras, s'est planté devant la fenêtre, la fenêtre basse à petits carreaux qui donnait sur le chemin et le talus de noisetiers, il est resté là, immobile, sans dire un mot, longtemps. J'imagine ma grand-mère, mes arrière-grands-mères groupées au fond de la pièce, se retenant de gémir, gémissant tout bas, et mon grand-père (un jeune homme) seul avec son enfant, le visage figé, retiré dans son silence. J'imagine ma mère, enfant remuante et bavarde

71

dans une maisonnée remuante et bavarde, éprouvant pour la première fois ce silence, cette immobilité. Entendant pour la première fois le grondement de son cœur à l'intérieur d'elle-même.

Une autre scène plus tard. Mon grand-père était déjà au front, le soir tombait, les femmes étaient aux champs avec l'enfant, ramassant les pommes de terre ou faisant les foins ou labourant, toutes les femmes, des plus vieilles aux plus jeunes, accomplissant le travail des hommes absents (je ne sais quelle année, quel mois, ma mère n'est plus là pour me le dire ; quand elle m'a raconté ce souvenir, tant de fois pourtant, je n'ai pas pris garde, je ne pensais pas que ce livre de sa mémoire pourrait se refermer un jour définitivement), soudain le couchant s'est embrasé, l'air est devenu rouge, le ciel saignait. Les femmes ont cessé le travail, se sont recouvert la tête de leur tablier, "c'est le signe d'une grande bataille", pleuraient-elles. J'imagine le retour par les chemins obscurcis, le crépuscule enveloppant les champs, le claquement sourd des sabots, les taches laiteuses des bêtes devinées derrière les barrières, l'entrée du village, les silhouettes lentes dans les cours, puis ma petite mère seule dans son lit écoutant les lamentations sourdes des femmes, puis le grand silence, pesant sur son âme d'enfant, la peur mystérieuse.

Il y a ces scènes loin, loin, derrière la tache foncée sur sa cuisse, sous l'agitation crissante de ses doigts.

Très tôt ce matin je l'entends se lever. Quelle heure est-il, trois heures, cinq heures ? Elle fait claquer les portes des placards de cuisine, bang la casserole d'eau sur le brûleur du gaz, bang le bol sur la table, je sais aussitôt que cela ne va pas. Quand cela va bien, elle fait moins de bruit, veille à ne pas me réveiller. Je suis outrée : elle veut me réveiller. C'est mon jour de repos, le seul matin où je peux dormir un peu plus tard. Je ne suis pas à la retraite, moi. J'enfonce mes EAR dans les oreilles, je tire sur ma tête l'édredon rouge (l'édredon ancien de ma grand-mère). Quelques instants plus tard, elle ouvre la porte, allume la lumière, appelle. Je fais la morte. Ira-t-elle jusqu'à venir me secouer ? Elle referme la porte. Bang !

Je suis découragée, en colère. La matinée sera difficile. Le jour filtre à travers les persiennes, je ne me rendormirai plus. Je me lève. Si seulement elle me laissait quelques minutes, un temps vide, où je pourrais me faire un café, toute seule, et puis le boire les deux mains autour du bol chaud. Mais aussitôt elle est sur moi. Elle attend depuis si longtemps.

Elle n'est pas belle, ce matin, ma mère. Elle a son plus vieux peignoir, ses plus vieilles pantoufles (dans les vêtements d'intérieur comme dans ceux de l'extérieur, il y a une hiérarchie, gare à la vieillerie, le choix de ce matin n'est pas bon signe), sa chemise de nuit dépasse, ses chevilles nues sont blêmes. Elle ne s'est pas coiffée, pas encore lavée, elle a de lourds cernes sous les yeux. Ce n'est pas ma mère qui habite son visage, c'est une autre, celle qui m'a toujours fait peur. Ce matin elle pourrait être l'une de ces vieilles femmes hagardes des asiles d'autrefois.

Elle ne me dit pas bonjour, s'assoit, prend sa tête entre ses mains, tout de suite commence à ruminer son souci du moment.

Quand je suis forte, je refuse de prêter attention, je vais préparer un café. "Pas pour moi", dit-elle aussitôt. J'en fais quand même pour deux, avec du café moulu, que j'ai apporté. Bruit de la cafetière électrique, protestations "tout ce dérangement". Depuis quand n'utilise-t-elle plus que des sachets ? La cuisine : un simple recoin, quelques maigres provisions, gardées sous cellophane, le tout parfaitement rangé. J'installe une tasse pour elle. Pas les bols, mais les tasses de porcelaine fine qu'elle ne sort jamais. Moi aussi, j'ai ma hiérarchie et mes choix ne sont pas innocents. "C'est bien le moment de sortir ça !" dit-elle. Je ne réponds pas, lui verse un peu de café, fais semblant de rien. Elle prend un sucre, commence à boire. Je lui fais une tartine, petite. Elle la prend. Un peu de couleur vient sur ses joues, "il est bon, ton café". J'ai gagné la première manche. Après il me suffira d'écouter, jusqu'à ce que son souci s'épuise de lui-même.

C'est parler dont elle a besoin, parler de son souci que personne ne peut comprendre, "pas même toi, mon pauvre petit". Quand je suis forte, j'écoute avec patience, peu à peu le nuage sombre s'éloigne, le paysage se remet en place, et quand je sens le moment venu (pas trop tôt, il faut beaucoup d'expérience pour sentir quand le moment est venu), je fais passer un courant d'air, j'introduis une phrase venue du dehors : le temps, l'événement politique du jour, les voisines, le repas de midi pour lequel il faut s'inscrire. Selon. Là aussi, il faut savoir choisir.

Quand je suis faible, j'entre bille en tête dans son souci du moment. Je m'en empare, le décortique, le dépèce, assène des solutions, tempête.

Elle s'emporte, ou pleure. Nous filons côte à côte sur les chevaux de la déraison, je la hais, je me hais. "Calme-toi, mon petit", finit-elle par dire. C'est la voix de ma mère, ce n'est plus la voix de l'autre. Quand j'entends la vraie voix de ma mère, je me calme aussitôt.

Parfois je m'en vais. "Je vais faire un tour", et je pars sans plus rien écouter. J'achète un paquet de cigarettes, marche dans ces rues que je fréquente depuis des années et que je vois si peu. Je ne sais pas grand-chose de cette ville, je ne vois pas l'architecture, les ciels changeants, les affiches, je ne vois rien de ce qui s'y passe. Dans cette ville, je viens rendre visite à ma mère. Les rues, leurs immeubles, leurs habitants ne sont qu'un décor, qui semble retenir son souffle comme moi je retiens le mien.

Lorsque plus tard au cours du week-end, je passe chez mon frère et ma belle-sœur, je suis étonnée de découvrir que la ville est vivante, que des gens y ont une vie, trépidante, intense. J'en suis étourdie. Paris, la capitale d'où je viens, n'a pas autant de vie que cette ville de province. Je sens le souffle qui parcourt les rues, gonfle les immeubles, j'entends les voitures qui roulent, se garent, démarrent, j'entends le téléphone, la radio, la télévision. Je parle comme une toupie, aspire les nouvelles, les événements, les histoires. "Reste dîner, viens avec moi au concert, passe la soirée avec nous", dit ma belle-sœur. Ma belle-sœur est une jolie femme, sa maison est chaleureuse, emplie de jolis objets, de musique, de parfums. "Reste", me dit-elle. Je vais dire oui, pourquoi pas, je suis grande, je suis libre ! Mais presque aussitôt, un coup de semonce dans ma poitrine. Comme si la vieille corde cachée que je porte toujours en moi avait tiré sur mon cœur. Un coup, un seul, mais je sens la tension frémissante, je sens littéralement la corde qui me tient et tire sur mon cœur.

Non, je ne resterai ni pour dîner, ni pour aller au concert, ni pour passer la soirée dans une agréable maison pleine de vie. Je veux retourner près de ma mère. Là-bas, dans la résidence de retraite, au milieu des vieillards qui attendent la mort, il y a ma vie, non pas la vie, mais ma vie, celle dont je porte la marque.

Parfois il me semble que ma mère et moi portons une marque, indélébile, semblable à celle des camps de déportation. Quelque chose nous lie, dont on ne peut pas parler, car cette chose est hors de notre monde, elle se tient dans un au-delà indicible, dans des limbes inconnus où se trament les enlacements obscurs de la vie et de la mort. Nous venons d'un pays où notre chair ne faisait qu'une, et nous avons été déportées ensemble, antérieurement à nous-mêmes, vers le pays de la division, de la querelle et de la mort, nous avons en commun un traumatisme étrange, que personne ne peut partager.

Aurore, tu n'aimerais pas cela. Tu me dirais que je déraille, que les gens ne comprendront pas. Ce n'est pas vrai d'ailleurs, tu comprendras très bien, mais tu t'inquiéteras.

Je dis : "Je ne veux pas laisser maman seule." Cela, tout le monde le comprend. Ma belle-sœur hoche la tête et je m'en retourne très vite, dans les rues figées de nouveau, les rues de la ville de ma mère.

Quel est le souci, en ce sombre matin ? En fait, ils sont tous là, les soucis habituels : la feuille d'impôts qu'elle ne sait pas remplir, la ferme ancienne qui s'en va à la ruine chaque année un peu plus, les examens des petits-enfants, le métier de son fils (mon frère) qui lui dévore son temps et sa santé, sa fille (moi) qui poursuit au loin des buts chimériques "les autres ont leur fille à côté", la tombe de mon père qu'il faut faire cimenter, son avenir à elle dans la résidence "il faut être en forme, ici, tu ne te rends pas compte", les dernières informations du journal télévisé "que va-t-on devenir, tu le sais, toi ?"...

C'est un nuage noir, énorme, à la taille du monde. Si je prends l'un de ces soucis pour essayer de trouver une solution, pour l'amenuiser, le limer, elle saute aussitôt sur un autre. Nous nous pourchassons grotesquement de point en point, comme des insectes.

Je sais bien ce que c'est que ce nuage, pourquoi on ne peut ni l'écarter ni le soulever, c'est sa mort, et en effet il n'y a pas de solution. Nous sommes en vue de la dernière porte, aucune de mes ruses, aucun de mes mensonges, aucun de mes trémoussements et glapissements n'y peut rien changer. Je n'ai pas de consolation, moi qui ai toujours cru pouvoir tout pour ma mère, si seulement je m'en donnais la peine, "il n'y a que mes enfants qui comptent", a-t-elle dit cent et cent fois. Je ne peux rien.

Si souvent je n'ai pas voulu apporter la consolation, à cause de la vieille résistance qui est en moi, maintenant je le voudrais désespérément, mais toute consolation est désormais hors de ma portée. Je me tais alors. Si je suis forte, je lui prends la main, l'embrasse.

Une fois, je me suis mise à pleurer. Son enfant qui pleure, ma mère n'a jamais pu y résister. Aussitôt elle redevenait mère, celle qui protège, quoi qu'il arrive. Mais elle m'a jeté un regard courroucé, non vraiment ce matin-là, il n'y avait plus ni mère ni enfant, seulement deux êtres isolés, errant dans la grande désolation, et que chacun se débrouille.

Aujourd'hui cependant, du nuage noir émerge un petit souci, immédiat, tangible. Robe. Elle a besoin d'une robe. Je dis que nous irons en acheter une, que je suis venue exprès pour cela.

"Je ne pourrai pas, tu vois bien comment je suis." Et il faut comprendre son désespoir : je ne reviendrai pas avant un mois peut-être, le plan minutieusement construit pendant les semaines de solitude s'est effondré, l'occasion est perdue, tout est perdu. Elle ne pourrait pas faire deux pas. "Quand même, tu le vois bien", ajoute-t-elle, presque suppliante.

Je vois bien qu'elle est mal, en effet. Son équilibre est instable. Les cernes sombres sous ses yeux m'inquiètent. Elle m'a montré sa cuisse aussi, pas pour la tache brune, mais pour les veines éclatées, qui tracent un réseau bleuâtre sous la peau.

Mon regard erre de la tache brune à la toile d'araignée bleue, sa peau très blanche (elle ne s'est jamais étendue sur une plage, n'a jamais "bronzé"), la chair à peine flétrie, tendre comme celle d'un bébé. Ses jambes nues, ses bras. C'est un choc, un vertige. Ai-je jamais regardé un homme aussi intensément, jamais éprouvé une émotion aussi trouble, aussi profonde ? Je détourne les yeux, ne dis plus rien, ne demande plus rien.

Je suis avec elle, je suis elle, dans sa peau, sous la cellophane.

COMBINAISON

Avec le parent âgé, on retrouve des comportements oubliés, ceux qu'on avait avec ses enfants,
du temps où on les élevait. Patience, l'enfant
grandira, le vieillard s'habituera. Cela fait peu
de temps que ma mère est à la résidence de
retraite, qu'elle est devenue vieille. Ne pas
s'énerver, prendre ses dispositions et faire
comme si.

Je n'ai pas pris le train comme d'habitude
pour venir de Paris. Malgré le long trajet qui
m'ennuie et me fatigue (plus si jeune, ta fille,
quoi que tu en dises), j'ai pris ma voiture. Pour
pouvoir la conduire d'un magasin à l'autre.

Je me réjouis de cette sortie. Sortir avec ma
mère, comme autrefois, lorsque c'était elle qui
m'habillait, rétablir le lien ancien, même à l'envers. Sortir de la prison aux murs roses, aller
dans le mouvement des rues, au milieu des
autres passants, comme si tout était normal. Et
puis, les magasins. Je les connais, je sais ceux
qu'elle fréquente. Des magasins qui m'avaient
été invisibles jusqu'alors, dont mon regard ne faisait qu'effleurer la vitrine (à égalité avec, disons,
les vitrines de coutellerie, d'articles de chasse,
de mercerie, ou d'appareils orthopédiques).

Des vitrines qui semblaient n'être que des trompe-l'œil, de ces blancs qui ponctuent de-ci de-là, on ne sait pourquoi et d'ailleurs on ne se demande même pas pourquoi, les murs d'une ville.

Les vitrines des magasins de vêtements pour personnes âgées.

Maintenant, je les repère aussitôt, elles me sautent aux yeux, je ne comprends pas comment elles avaient pu s'occulter ainsi à mon regard. N'étaient-elles donc pas là "avant" ? Elles ne sont ni plus ni moins avenantes que les autres. Il y a des affiches de mode, des grandes marques. Qu'est-ce qui les fait différentes alors ?

On n'y voit pas de noir, le noir si chic des boutiques parisiennes. A la place, on trouve du bleu marine, du gris foncé ou du marron. Peu. Beaucoup de motifs floraux, et des couleurs, vives l'été, plus discrètes l'hiver. Et des corsages, en tout genre, avec lavallières, dentelles, en polyester infroissable que les vendeuses appellent de la soie.

Pas de noir, des tissus aux teintes mêlées, des corsages blancs. Est-ce la seule différence ? Non, les vêtements présentés en vitrine le sont de pied en cap, on voit ce qu'on va acheter (pas de ces présentations farfelues où n'apparaît qu'un pan indéfinissable posé sur un autre dans un arrangement "artistique" surprenant). Et ces vêtements suivent la représentation traditionnelle des corps. Ils ont des manches pour les bras, des cols pour le cou, des ceintures pour la taille, il y a des pinces là où le corps se resserre, des évasements là où le corps s'évase, les jupes ont la longueur des jambes et le buste l'ampleur des seins. Ils évoquent un corps à couvrir en chacune de ses parties, respectueusement.

Dans les magasins que fréquente la fille de mon compagnon, que je fréquente aussi parce qu'on met très longtemps à rejoindre son âge, les corps ne sont que prétexte. On y voit des pulls trop longs ou trop courts, allusions de pulls, les jupes de même, allusions de jupes, et des boutons, des poches, des liens et des trucs à des endroits imprévisibles. Les vêtements ne se plient pas à l'ennuyeuse logique du corps, mais volettent selon leur fantaisie sur un corps abstrait, façonnable à gré, sans organes, lisse et flexible.

C'était ces vitrines-là que mon œil sélectionnait à mon insu. Maintenant il sélectionne les autres, les vitrines des boutiques pour personnes âgées. Je découvre que je pourrais tout aussi bien m'y habiller, il suffirait de faire raccourcir les jupes, d'éviter les corsages, d'assortir des chaussures mode, bottines ou baskets. Ou même de ne rien faire du tout (sinon oublier l'obsédant "sexy").

Oui, je connais tous ces magasins, je les ai repérés, leur adresse, leur numéro de téléphone, leurs heures d'ouverture, les places possibles de parking, ce qu'ils vendent, j'ai jugé le degré d'amabilité des vendeuses, les moments creux de fréquentation, le confort de l'installation (cabines d'essayage assez spacieuses, chaises pour la clientèle fatiguée).

Pendant que mes collègues écrivains de par le monde sondent des problèmes graves, participent à de savants colloques et travaillent à conquérir leurs lecteurs, voici ce qui m'occupe : les magasins de vêtements pour personnes âgées dans une ville de province du Centre de la France. C'est là toute ma science, mon étude, et l'entonnoir où s'engouffrent mes énergies.

Elle est toujours en peignoir, le visage sombre, à ruminer. Il est bientôt onze heures et je m'inquiète. L'après-midi, en général, elle est trop fatiguée pour aller en ville. Aujourd'hui, de plus, elle s'est levée à cinq heures, elle a déjà fait l'essentiel de la journée. Or nous sommes en province, les boutiques ferment à midi, pour la pause de la mi-journée. Si ce n'est pas immédiatement pour la robe, ce ne sera pas pour ce week-end, ce ne sera pas avant des semaines.

Cependant j'observe qu'elle a repris quelques couleurs, sa voix est moins chargée de déraison. "Habille-toi", dis-je. "Ce n'est pas la peine, je ne peux pas descendre, tu iras toi", dit-elle. Au restaurant de la résidence, veut-elle dire.

Je lui rappelle que je suis venue pour passer le week-end avec elle, je menace : "Si tu ne vas pas déjeuner, je n'irai pas non plus." Elle hausse les épaules, le front contracté. La tyrannie des jeunes, qui ne comprennent pas. J'insiste, durement, "habille-toi". Elle se lève avec peine, vacille, se raccroche au mur. Elle a l'air si diminuée, une pauvre loque vidée. Suis-je un monstre ?

Je lave notre petite vaisselle, guette les bruits de sa chambre. Elle fait son lit. Je reprends espoir, vais ouvrir les volets. C'était une bonne idée, car aussitôt "non, non, on va me voir". Il y a de l'indignation dans sa voix, un retour irrépressible de sa vieille combativité. J'enfourche vite cette querelle salutaire, je sens qu'elle suivra, que cela la sortira du nuage noir. "On ne voit pas à travers les rideaux." "Mais si, on voit." "Il n'y a personne, regarde." "Ma pauvre petite, tu ne comprends pas, ici on vous guette, il faut se tenir, les gens sont sans pitié…" Les choses vont comme je veux, je suis contente de moi.

"Qu'est-ce que tu vas mettre ?" dis-je, l'air de rien. Je sens qu'elle hésite. Finalement, peut-être veut-elle la faire, cette course en ville. Toute cette lamentation n'est-elle que comédie, rite obligatoire pour se donner l'autorisation d'aller accomplir cette chose futile : acheter une robe ?

Je n'en sais fichtre rien. Je ne sais ce qui, en cet instant, relève du délabrement de la vieillesse (et demanderait ma patience et ma compassion) et ce qui relève des indéracinables torsions de son caractère (en ce cas, pas de scrupules, pas de quartier, tu m'obéis et que ça saute, c'est moi la chef maintenant).

Les infirmières doivent être confrontées à ce problème à chaque instant : où est le vieillard, où est la personne ? Par lassitude, on oublie la personne, on ne voit plus que le vieillard : le "papy" de mes amis avec les jeunes pompiers dans un sentier des Pyrénées, les "mamies" des animatrices pleines de bonne volonté dans la maison pour personnes dépendantes.

Je me construis une explication du comportement de ma mère. Elle est ce matin (comme la dernière fois que je suis venue) tout entière ensevelie dans la tache sombre de sa peau, dans le puits ancien sous cette tache. Elle est la très petite enfant, bébé sans paroles, pour qui l'expansion naïve d'un moment de joie s'est soldée par une brûlure affreuse, une punition de presque une année, pour qui le rare, peut-être l'unique moment de tendresse de son père (on est peu démonstratif à la campagne) a été écrasé de silence et d'angoisse, pour qui un soir paisible aux champs dans l'intimité maternelle et caquetante des femmes de sa famille a été envahi soudain d'une terreur incompréhensible.

Jouir sans réserve de ma présence, cela ne se peut.

Le bonheur est dangereux, le bonheur trop vif attire le malheur, il faut être prudent avec le bonheur.

Les gens de la campagne le savent. Ils ont des tactiques, des parades. On ne dit jamais "ça va bien", mais "ça ne va pas trop mal, ma pauvre". Cela, ma mère veut bien le reconnaître, elle en rit. Elle est devenue une femme de la ville, elle aussi, elle a pris ses distances et elle s'amuse à me décrire ces comportements anciens. Mais jamais, jamais, elle ne veut en retourner l'enseignement sur elle-même.

Parfois, quand nous sommes en confiance, je veux analyser avec elle sa vie, pour la comprendre, pour comprendre la mienne. Ses migraines (qui sont devenues les miennes), ses revirements d'humeur spectaculaires (qui m'ont marquée au plus profond), jamais une joie sans son ombre, jamais une avancée au soleil sans le retrait immédiat dans le nuage noir. Toujours le retour de bâton. Le malheur tapi, le malheur qui rôde.

J'essaye. Cette guerre quand elle était petite. Et la migraine. "Tu avais seize ans quand tu as eu la première, n'est-ce pas ?" Cela, c'est ma grand-mère qui me l'a dit. Je crois. Seize ans, n'est-ce pas l'âge où ma mère a annoncé qu'elle ferait des études, qu'elle ne resterait pas à la ferme, qu'elle ne s'y marierait pas, qu'elle ne suivrait pas ma grand-mère dans les bals comme les autres filles, qu'elle ne continuerait pas l'œuvre des générations de sa famille, que la ferme resterait sans successeur, sans maître, que la ferme mourrait ?

Et son mariage, en pleine débâcle, mon père redoutant d'être envoyé dans les chars, le repas de noces, cette apothéose des familles, réduit à une maigre parodie ? Et ses parents abandonnés, vieillissant seuls ? Et les terres livrées à des mains étrangères ? La culpabilité, toute sa vie. Ces migraines.

"Tu es très intelligente, toi." Ma mère me regarde sournoisement, elle se clôture. Fin de la confiance. J'enrage. Pourquoi, pourquoi ?

Ce matin pourtant, je ne tombe pas dans cette ornière. Il faut acheter la robe, il faut que je réussisse.

Elle est en combinaison maintenant. J'ai gagné la deuxième manche. Elle a mis la presque neuve, l'avant-dernière sur la pile de cette lingerie parfaitement rangée dans son armoire. En bas, les reprisées, puis les simplement usagées, puis les presque neuves, enfin la dernière, la toute neuve, jamais mise, celle qu'elle réserve "pour partir à l'hôpital".

Cette dernière, elle la change souvent de place. Parfois elle est en haut de la pile, parfois à part dans l'armoire, parfois dans une petite valise. Mais je me trompe. Dans la petite valise, c'est la chemise de nuit de son enterrement.

Je regarde ma mère dans sa combinaison.

Une combinaison est une sorte de sous-robe en maille de nylon, sans manches, sans col, près du corps, et juste un peu plus courte que la robe elle-même. "Vous ne portez plus cela, vous les jeunes, aujourd'hui." Elle fait une transition entre la chair intime du corps et la façade de la robe. Elle a la même fonction que les rideaux de mousseline aux fenêtres, sous les doubles rideaux plus épais. Elle empêche aussi de deviner les formes des jambes, qui pourraient se voir sous le tissu dans certains contre-jours. Enfin elle évoque une époque où on se défiait du corps, le corps salit, la combinaison lavable protège la robe qui, elle, ne se lave pas.

La fille de mon compagnon ne connaît pas l'existence de ce sous-vêtement. Une combinaison, pour elle c'est un vêtement de ski joyeusement coloré, ou un vêtement de caoutchouc pour la planche à voile.

Sous sa combinaison de maille rose pâle, ma mère porte été comme hiver une chemise de peau du genre Thermolactyl. Son corps est un peu épaissi, mais il n'est pas déformé, la chair de ses bras est sans doute moins ferme, mais elle a conservé ses lignes, et les jambes sont parfaites. C'est un corps de femme, voilà ce qui me saute aux yeux. Quatre-vingts ans passés, un corps de femme. Une pensée que je n'ai pas sonnée me file par la tête. Ne lit-on pas parfois dans les journaux qu'une femme âgée a été agressée, violée ? On lit cela et on est vaguement stupéfait, indigné, on imagine quelque monstrueuse perversité. Eh bien, non !

Soudain, pendant qu'elle va et vient dans sa chambre, un glissement se fait dans ma vision, je ne vois plus une combinaison et un Thermolactyl, mais une robette légère et un T-shirt dessous, comme en portent les jeunes filles. Dans les boutiques pour jeunes filles, on voit de ces robes minimales, bouts de tissu de maille noire en général, à peine façonnées, très près du corps, oui ces robettes auraient été des combinaisons, du temps de ma mère. Ou plutôt, cette

86

combinaison est une robette, qui ne lui va pas si mal, qui la fait presque jeune fille. Je souris à part moi. Ces idées qui me viennent !

Le deuxième café (celui que je lui ai fait boire malgré elle) commence à faire son effet, ou peut-être est-ce seulement l'effet d'entraînement des gestes habituels. Je suis contente d'avoir réussi à lancer le moteur. A faire démarrer le programme. Cliquez sur "habillement", ça ne répond pas, bon, ne pas s'énerver, essayer deux ou trois touches, revenir sur la barre d'outils, sur affichage, recommencez, cliquez, ça marche, c'est parti. Ma mère enfile son collant. Je note qu'elle effectue cette opération compliquée sans aide, sans bavure, assise sur son lit, plier la jambe, atteindre la pointe du pied, déplier la jambe, pareil de l'autre côté, puis se relever et remonter le tout sur les hanches. Opération réussie à cent pour cent.

Mais il est trop tard pour sortir acheter la robe. Ma victoire de ce week-end aura été de peu d'envergure : l'obliger à descendre à la salle de restaurant. Je m'en contente.

Un jour peut-être sera-t-elle paralysée et la victoire sera de la faire se redresser dans son lit.

DOCTEUR

Nous recevons un homme. Il est plus jeune que moi, assez beau, et comme moi encore dans la vie active, de l'autre côté du film de cellophane s'entend. Il sait beaucoup de choses de ce qui se passe là-dessous, quand il entre on a le sentiment que l'air s'engouffre, cela va beaucoup mieux.

J'aimerais qu'il vienne plus souvent, il me rassure, je le crois de mon côté et cherche la connivence. Les hommes plus jeunes, ça me connaît, je pense qu'à nous deux nous arriverons à quelque chose, nous ferons que l'agitation là-dessous soit moins erratique, que ça se passe plus en douceur. Il a les connaissances techniques, moi je peux veiller à faire appliquer ses prescriptions. A nous deux, nous viendrons bien à bout de cette cloque bizarre à la surface de la vie.

— Bon, ai-je dit, il faut faire venir ton médecin.

J'ai toujours fait confiance aux experts, aux spécialistes, je suis une excellente patiente, un bon sujet, plein de modestie et de bonne volonté, comme ma mère m'a enseigné à l'être.

Je suis allée moi-même consulter un expert (une femme), sur cette question de la vieillesse de ma mère. Elle m'a appris que les vieillards doivent voir un médecin au moins une fois par mois, régulièrement, quoi qu'il arrive. Et puis, pour ce qui me concerne, elle m'a appris qu'il faut du "tiers" dans la relation. Je suis bien d'accord, même si je ne peux employer de tels mots devant ma mère.

Une ou deux fois, j'ai parlé de psychanalyse, pas d'écho, une défiance fondamentale. Elle ne veut pas d'intrusion dans son champ (son origine paysanne ?). Ou bien il m'arrive de faire la détachée : prenons un peu de recul, maman, discutons ensemble gentiment de ce qui sous-tend notre affaire, soyons lucides et n'épargnons pas notre humour. Si nous réussissons à transformer la maison de retraite en Collège de France, et la retraite de Russie en promenade pensive sous les arcades, tu ne souffriras plus et moi je pourrai reprendre mon train ou ma voiture le cœur léger.

Mais il y a dans l'air, sous la cloche de cellophane, quelque chose qui ne me convient pas, mes paroles ont une résonance curieuse, on dirait des petits blocs de béton mal ajustés. Mes paroles prennent l'eau, prennent la pente, je suis pompeuse, je m'exprime mal, parle de travers. Si elle me répondait, il me semble que mon discours se remettrait droit. Réponds, fais-moi écho. Elle ne fait pas écho, ne donne pas suite.

— Tu es intelligente, toi !

Fin de la conversation. Maligne, ma mère. Porte claquée, jolie fuite. J'ai perdu, je n'ai pas su la rallier. Il m'a fallu longtemps pour comprendre qu'il y avait de la bagarre entre nous. Et qu'elle se passait sur son terrain, avec ses armes.

Mon père restait discret. Un jour pourtant, après l'une de ces querelles, peut-être étais-je venue me plaindre auprès de lui, il a dit quelque chose qui m'a fait grand effet, dont je me souviens encore aujourd'hui. Mais il faudrait le voir, un homme fin, naturellement élégant, il a gardé cette élégance jusqu'à ses derniers jours, réservé, distant aussi, fuyant les orages familiaux. Son habitat naturel était son bureau. "Ah, m'a-t-il dit, les rapports mère-fille..." En hochant la tête, avec un très léger sourire sur le visage. Ça alors ! J'en suis restée coite. Cinq mots pour les milliers de mots de ma mère, et ils m'ont plus aidée, et je m'en souviens avec plus de force, quelle injustice pour ma mère, et je suis du côté de ma mère et je pleure pour elle, à cause de cela.

Une autre fois il me dirait quelques mots ainsi, pour lesquels je lui serais reconnaissante infiniment, un petit trésor que j'enclos dans un camée imaginaire, alors que de ma mère je n'ai rien voulu, ni ses meubles, ni ses vêtements, ni ses conseils surtout. Et cette injustice m'accable, me fend le cœur, l'injustice naturelle pour les femmes et leur chair.

— Tu es intelligente, toi...

Moi, l'ennemie, mise en pièces d'un coup sec, parfaitement ajusté. Car elle avait l'esprit perçant, ma mère, une phrase d'elle soudain au détour pouvait me laisser stupéfaite, elle voyait clair, mieux que moi, je n'avais été qu'une sotte exaltée, et elle vous malaxait une situation confuse en un éclair et vous sortait une vérité parfaitement moulée, sans l'aide d'aucun livre, comme elle le faisait avec les flans ou les brioches qu'elle nous préparait à la grande époque de sa vie de mère de famille.

Alors pourquoi cela ne servait-il à rien en fin de compte, ne nourrissait ni moi ni elle, sur cet âpre chemin de sa fin, tandis que nous cheminions en nous heurtant, bang, bang… ?

Une fois sur deux, elle ne veut pas voir le docteur. "Ils ne savent rien, tu sais !" Rien concernant les vieux, c'est-à-dire. Mais une fois sur deux, elle le veut bien, et c'est alors l'événement de notre week-end.

Rendez-vous est pris à l'avance, toute ma semaine en est éclairée, nous sommes dans l'action, enfin.

Appeler le médecin, cela veut dire qu'on est encore dans l'ordre normal des vivants, mieux, qu'on s'inscrit dans le meilleur de l'humain, ce qui l'a fait lutter et vaincre et durer depuis le début des temps. Nous nous instituons partie prenante des universités, des laboratoires de recherche, des industries pharmaceutiques, de toute une activité vibrante, les jeunes gens qui étudient tard la nuit, les professeurs qui les enseignent, les chercheurs qui communiquent dans les congrès, les avions qui transportent ces chercheurs, les aéroports, la poste, les téléphones, les ordinateurs et jusqu'à la camionnette qui vient livrer la pharmacie, les pneus, le moteur, l'essence, la politique… Nous sommes dans le monde, intégralement, ma mère et moi. Nous ne titubons plus sur un chemin isolé et sinistre, nous roulons dans la foule humaine, participant à son effort collectif vers l'avenir. Le docteur viendra, nous discuterons avec lui (c'est-à-dire avec les universités, les laboratoires, les industries, le monde…), nous parlementerons, argumenterons, déciderons, et le docteur déposera devant nous les résultats des efforts de notre espèce dans ce monde, que nous ingérerons, et par ce geste nous participerons à l'infinie et trépidante activité humaine et gagnerons la possibilité de continuer à y participer… à notre mesure, mais qu'importe la mesure pourvu qu'on y soit.

Celui que j'attends, c'est donc le représentant de tous les savants, le délégué des congrès internationaux, le porteur des dernières découvertes du cerveau humain. Et il viendra pour moi spécialement, pour m'aider à me dépatouiller avec ma vieille mère, afin que je puisse aller au bal sur le pont d'Avignon.

Celui que ma mère attend est tout autre.

— Entrez donc, docteur. Oh j'ai bien honte de vous faire déranger. Mais ma fille était là, elle a voulu… Enfin je ne vous retiendrai pas longtemps. Où en est votre maison ? Ah, encore du retard. C'est bien mal de vous faire languir comme ça, vous qui avez tant de travail. Et vos enfants ?… Ne vous en faites pas, vous verrez, ça passera… Tenez, asseyez-vous, vous devez être fatigué à courir comme ça… Vous savez, il ne faut pas vous laisser faire, je le dis à mon fils, il est comme vous, il se laisserait dévorer, la vie est dure pour les jeunes aujourd'hui, on ne veut pas le croire, mais je le vois bien… Va nous chercher une orangeade, mon petit. Oui, oui, j'ai tout préparé à la cuisine, va…

Mais qu'est-ce qui se passe, bon sang ? Je n'en crois pas mes yeux, mes oreilles. Ma mère fait du charme. Non, elle EST charmante.

Les cernes mauves, les petits cheveux blancs pathétiques sur le crâne, les gestes tressautants, ces mêmes tristes marques de la vieillesse, ont en cet instant un charme fou, qui pourrait croire une chose pareille ? Elle a les joues rosies, le regard vif, cet air de qui est tout à son affaire.

Et lui, le jeune docteur ? A-t-il l'air pressé, agacé, ennuyé ? Pas du tout. Il est assis, il boit son orangeade, il parle de sa maison, de ses enfants, de sa hernie, du ski…, attention, non pas en monologue, mais en dialogue, en vrai de vrai dialogue avec ma mère. Elle rit, il rit, je n'ai pas compris, ils ont leurs plaisanteries privées, tout un arrière-plan que je ne connais pas et où elle semble très à l'aise.

Et moi, que fais-je ? J'étais supposée être le garde du corps de ma mère. C'est le rôle qu'elle m'avait confié, en me suppliant, dans sa faiblesse, d'appeler le docteur, et je l'avais accepté, vaillante petite élève qui se charge du cahier de classe pour sa maîtresse et en est fière. Je convoquerai le docteur, le séduirai, nous nous marierons et serons le papa et la maman de ma toute petite mère.

Dans ce but j'ai revêtu un short beige et un T-shirt blanc, tenue sobre, chef-d'œuvre de litote vestimentaire, une touche de rouge à lèvres et surtout n'arriver à la porte qu'au deuxième coup de sonnette… Car, voyez-vous docteur, il ne faut pas que vous flairiez notre détresse, vous ne devez pas savoir que la fille de cette maison est au dernier degré, qu'elle est prête à se vendre à n'importe quel individu, pourvu qu'il accepte son enfant, son enfant malade, handicapé, cette petite vieille femme, et qu'il la prenne en charge, la soigne, à égalité de fardeau avec elle, malheureuse fille-mère. Il ne faut pas que cet appartement sente la peur, la décomposition, l'égarement. Peu de médecins peuvent s'aventurer dans ces zones frontières, ces terres de mort où errent des vivants, je ne crois pas qu'il en existe dans notre ville (un gérontologue ?), il faut donc ruser, il faut que la patiente soit une vivante banale, se soumettant aux révisions banales du troisième ou quatrième âge, dans le but de compenser les faiblesses d'usure prévues et d'améliorer ses performances dans le domaine qui est le sien : maison de retraite située en ville pour personnes autonomes. Il faut que je sois là comme par hasard, en short comme entre deux activités sportives, qu'on n'entende pas mon cœur battre, mon cœur de navrante midinette de la maternité, ni mon appel au secours "je vous en prie, aidez-moi, aidez-moi"... Il faut que je sois raisonnable, détendue, une vivante bien dans sa peau, avec qui on envisagerait tout à fait de faire une partie de tennis, par exemple.

Alors tout ira bien. Par-dessus le berceau où sourit l'enfant aux cheveux blancs, penchés chacun d'un côté, nous échangerons confidences et regards complices, et lorsqu'il partira, je ferai boire à l'enfant le sirop magique qu'il aura laissé, et l'enfant se lèvera et redeviendra ma mère tout comme autrefois, nous aurons repris pied sur le monde vibrant d'activités, et ce voyage en terre de folie et de mort s'éloignera comme un cauchemar, épisode regrettable mais répertorié, et que le jus magique tiré aux grands pressoirs du monde (les universités, les laboratoires, les industries, les jeunes gens qui étudient tard, les avions, les congrès, etc.) efface, pour peu qu'on sache et veuille l'obtenir, pour peu qu'ensuite on le boive.

Sur le buffet, il y a un papier. Ma mère s'en empare, l'air de rien. "Tenez, docteur, j'ai préparé ce qu'il me faut, ce n'est pas la peine de vous faire perdre votre temps..." Le docteur ne perdra pas son temps, il n'aura qu'à recopier et signer. Un simple renouvellement d'ordonnance, en somme.

Ainsi elle a réussi à renverser les positions, mon incroyable petite mère. Elle a repris les commandes et tous les rôles qui furent les siens en ses temps de force et de gloire. Elle s'est faite la conseillère de son médecin, le transformant en jeune homme doué mais encore innocent quant aux choses de la vie, supérieure et bienveillante comme elle l'était du temps où elle exerçait son métier de professeur, du côté de ses élèves toujours, ne tolérant pas le moindre écart mais s'indignant de l'excès de travail imposé à des êtres jeunes, s'intéressant à leur santé, leur avenir... Le docteur est devenu son élève. Plus encore, il est devenu son enfant, car en évoquant son propre fils médecin aussi, en l'évoquant de la station d'observation intérieure qu'est la famille, où l'on est au courant des petites failles, angoisses, manies et puérilités diverses, elle prend le pas sur lui, sape de l'intérieur toute velléité d'arrogance et de mépris, se positionne dans la supériorité du parent... Et ainsi, par ce tour de passe-passe magistral, elle rétablit l'équilibre des forces, elle n'est plus un être diminué dans les loques de la vieillesse, elle revient d'égal à égal dans le champ d'action des humains, reprenant par ce statut de professeur et de parent réintroduit par la pure force du verbe le terrain perdu par son déclin physique.

Dans les bras de la mort, déjà à demi dévorée, elle a réussi à projeter une sorte d'hologramme d'elle-même, où elle est entière, vive, tout à fait "dans le coup", sa vieillesse même retournée en avantage, celui de l'expérience et de la raison, et cela sans même l'aide d'un maquillage superficiel des stigmates du temps, avec ses cernes, ses cheveux rares et ses gestes tressautants, par la force des seuls atouts qu'elle connaît et accepte, atouts plutôt austères mais qu'elle manie avec tant d'habileté et de finesse, je suis éblouie, je suis KO.

A l'écart, bougeant d'un pied sur l'autre, un peu ridicule dans mon short et mon T-shirt, le visage figé dans une expression vacante, je redeviens la petite fille plantée comme un inutile pot de fleurs à côté de sa mère, écoutant le discours des adultes et ne sachant trop que faire d'elle-même.

Tous ces changements de rôle, de position sur la carte mouvante de nos rapports ! Je suis prise de court, jamais où il faut, mes tactiques battues en brèche, mes certitudes savantes défoncées, rien d'étonnant à ce que je sois hébétée...

"Comment la trouvez-vous ?" dis-je au docteur en le raccompagnant au-dehors. "Elle s'en sort plutôt pas mal", répond-il, ou quelque formule tarabiscotée de ce genre, pressé maintenant, pas du tout conquis par moi, et j'entends que je suis un encombrement, source potentielle de tracas, représentante de cette catégorie insupportable et même suspecte : les proches.

Je n'ose plus parler des appels de détresse, des ressassements obsessionnels, des crises de panique, sa mort imminente annoncée à tout instant, ce n'est pas le moment, je n'ai plus la force, il me faudrait séduire moi aussi, pour séduire il faut amener l'autre à soi, il faut donc être soi, et en ce qui me concerne ce "soi" est en déroute, perdu je ne sais où, d'ailleurs n'ai-je pas exagéré tout cela, n'est-ce pas moi qui fais tout un plat de peu de choses ? Sur le bulletin secret qui nous suit tout au long, à la rubrique "choses de la vie", je me donne une très mauvaise note.

Ma mère est fatiguée, mais contente. Elle n'a pas gagné la guerre, mais elle a gagné une bataille. "Merci de m'avoir soutenue, mon petit", me dit-elle. Et elle m'envoie, impérativement, m'acheter une nouvelle paire de chaussures, dans ce magasin qui est tout proche de la maison de retraite, et pour cette raison présente dans sa vitrine beaucoup de chaussures dites "confortables", de ces chaussures que je ne regardais pas "avant", que je guette maintenant, instinctivement, dans toutes les vitrines.

La paire que je vais acheter ne me conviendra pas. Qu'importe. En rentrant, je les lui montrerai. Elle s'y intéressera peu. "Tu es contente ?" dira-t-elle. L'essentiel, c'est ce qui se sera passé avant, le billet qu'elle m'aura forcée à prendre, "ce n'est pas assez sans doute, je ne connais plus les prix d'aujourd'hui, mais tu me diras, hein".

Nos transactions d'argent. Le billet de banque, le chèque, terrain d'un affrontement complexe, sans règles. Les grosses affaires (maison, succession) sont plus faciles, parce qu'il y a le notaire et la loi. Je ne crois pas qu'avec mon frère il y ait eu ce même ballet autour du petit billet de banque, du petit chèque. Les rapports mère-fille, nos histoires de femmes, séduction tortueuse...

COIFFEUSE

Le premier signe, je le repère immédiatement. Sur sa tête, cette fois. Cheveux coupés, petites mèches bien serrées, couleur blanche homogène. Elle est allée chez le coiffeur.

Dès que j'arrive sur la place en vue des fenêtres de la résidence, un processus de décryptage à grande vitesse se met en marche dans mon cerveau. Tout est signe : rideaux fermés ou ouverts, visage des dames de l'accueil, topographie de sa position, aux avant-postes dans l'entrée ou retirée au fond de l'appartement. Voix, démarche, habillement.

Elle est allée chez le coiffeur parce que je venais. Augure favorable. Les choses ne vont pas mal, le week-end a toutes chances de bien se passer.

Voici comment je décrypte ce signe. D'abord, elle a accepté l'idée de ma visite : pendant plusieurs jours de suite, elle a été suffisamment bien pour considérer sans crainte un petit pan d'avenir. Ensuite elle a pu téléphoner, prendre rendez-vous, ne pas oublier le rendez-vous, sortir avec sa canne, affronter un ou deux carrefours. Ensuite elle a pu envisager de supporter, puis a effectivement supporté la séance : pencher la tête vers l'arrière dans le bac, la redresser malgré le vertige, en maîtriser le poids pendant la pose des bigoudis, endurer la chaleur du casque qui fait gonfler les vaisseaux sanguins, faire face à la quantité considérable de choix proposés (coupe, couleur, etc.), tout en maintenant un niveau de conversation honorable. Je sais tout cela. J'ai vu, j'ai assisté. J'ai vu aussi combien chaque étape devenait plus difficile, chacune un obstacle de plus en plus grand à surmonter.

Si ma mère est allée chez le coiffeur, c'est pour nous faire plaisir à toutes les deux.

Je suis heureuse quand je vois qu'elle est allée chez le coiffeur. Je dis "ah c'est bien, cette coupe". Elle sourit. "Je me suis faite belle, tu vois."

Elle ne fait pas de chichis en ce qui concerne sa coiffure. Cliente facile pour la coiffeuse, qui par habitude professionnelle propose l'éventail habituel des choix, mais peut bien faire ce qu'elle veut. Ma mère ne s'intéresse pas au résultat : elle est allée chez le coiffeur, donc elle est coiffée, donc elle est "belle", c'est-à-dire correcte, présentable.

Elle est plus exigeante en ce qui concerne ma coiffure à moi. Je redoute son premier coup d'œil. S'il est négatif "c'est à la mode, les cheveux comme ça ?", je hausse les épaules, fais semblant que ça ne m'intéresse pas, que je n'ai pas le temps, je ne suis pas à la retraite, moi, j'ai passé des heures dans le train, moi, etc. S'il est positif "tu as toujours su t'arranger", je ne peux m'empêcher d'être contente.

Ce regard sur ma coiffure (mes vêtements, mes chaussures, mon maquillage) ne relève pas d'un esprit de jugement particulier à mon égard. C'est simplement qu'elle me place dans une catégorie différente de la sienne. Je suis dans la catégorie des jeunes (j'y suis, pour elle, de façon définitive), il ne suffit pas que j'aille chez le coiffeur, il faut aussi que la coiffure m'aille. Elle, elle est au-delà, dans la catégorie des gens âgés à qui il suffit d'être "corrects". Les vieilles gens sont comme les anges, ils n'ont pas de sexe et on ne s'interroge pas sur leur coiffure. Mais ils ont des protégés sur terre et ceux-là ont des combats à mener. Ma mère veut que je mène mes combats comme il convient.

"Tu étais si jolie quand tu étais petite, tout le monde me le disait." Je la vois, jeune maman dans la grand-rue. Elle est tendue, épuisée de toutes ces tâches qui incombent à la femme en cette époque reculée, calculant ce qui reste encore à faire, tirant son enfant par la main, obligée soudain de s'arrêter, à contrecœur, devant un quidam qui vient de la harponner. Elle est connue dans cette petite préfecture de province, paroles et attitudes sont surveillées, elle est sur la défensive.

Puis "comme elle est jolie, votre petite fille, madame !", et soudain cette détente en elle, un surgissement de joie que sûrement elle réprime parce qu'elle se méfie des compliments. J'imagine ses dénégations "c'est toujours mignon, à cet âge", ou "c'est fatigant, à cet âge". Mais la fierté, tout de même.

Il me revient qu'elle me faisait des anglaises, avec un fer à friser. Ma mère, si peu coquette ! Cela prenait longtemps, chaque mèche à entourer d'un petit papier, attendre que le fer chauffe puis souffler dessus pour le ramener à la bonne température, rouler la mèche entre les deux branches du fer, attendre encore, branches bien serrées, avant d'ouvrir et de dérouler précautionneusement la mèche jusqu'au bout du tortillon, enfin laisser refroidir la boucle avant de la peigner. Tout cela. Et en fin de compte, un véritable portrait à l'huile commandé au peintre de notre ville, où l'on voit une fillette à l'air grave avec les anglaises bien roulées et deux nœuds de velours rose dressés comme des papillons de chaque côté de la raie médiane.

Sa coquetterie, c'était moi.

Ce qu'elle me demande, lorsqu'elle observe ma coiffure, c'est de porter la féminité à sa place. Elle me le demande sous bien d'autres formes, qui m'enragent ou m'attendrissent, et plus souvent m'enragent et m'attendrissent à la fois, me mettant le cœur à rude épreuve et me ligotant encore plus serré dans mon trouble.

Et maintenant qu'elle est vieille, elle me le demande encore plus, elle n'a plus que moi pour être femme, il faut que je sois son visage, pour qu'elle gagne ses batailles à elle, ses toutes petites batailles de petite vieille.

A signaler : le coiffeur est en fait une coiffeuse. Le docteur doit être un docteur, mais le coiffeur une coiffeuse. Une femme. A cause du moindre degré d'expertise nécessaire, ou à cause de la futilité du degré d'intimité ? Je ne sais pas. Ma mère de façon générale préfère les hommes : "C'est plus franc." Mais la condition de femme est l'un de ses sujets de plainte, lorsqu'il s'agit d'elle ou de celles de sa famille. Des autres femmes, elle se méfie. Elles peuvent causer du tort à son mari, son fils, ses petits-fils. Pourtant, toute ma jeunesse, cette phrase : "Il ne faut pas dépendre d'un homme." Un bel imbroglio. Je m'étonne de ce qu'elle navigue avec facilité au milieu de tant de contradictions. C'est qu'elle suit son instinct, ce que le moment lui dicte, de vieilles sagesses qui me sont cachées, des souvenirs auxquels je n'ai pas accès. Moi, je rationalise, j'expose des dates, des faits, au bout d'un moment je m'entends faire des phrases. Si elle est bien disposée, si j'évite les références précises à notre entourage, nous nous en sortirons bien, consensus général avec non-dits, passons à autre chose. Quand elle n'est pas bien disposée, la phrase "tu es intelligente, toi !" qui me met hors jeu, et m'oblige à vider le terrain, sinon c'est la guerre, la filandreuse vieille guerre entre nous, inepte, insensée, passons.

Donc une coiffeuse.

(Coiffeur est le terme générique. Coiffeuse est la personne spécifique, elle va chez le coiffeur, mais a une coiffeuse.)

J'entends parler de cette coiffeuse depuis longtemps. De ses malheurs, son courage, sa santé, sa gentillesse. Jamais de son habileté dans son métier. Là n'est pas la question pour ma mère.

J'ai voulu voir le salon. L'adresse est au bout d'une longue rue peu attrayante. D'abord je ne l'ai pas trouvé. Je cherchais une vitrine claire, des murs tapissés de glaces, renvoyant la brillance des spots lumineux, mon idée a priori d'un salon de coiffure. Entre un bar-tabac vétuste et un immeuble décati, j'ai fini par dénicher la boutique de la coiffeuse de ma mère. Une sorte de couloir, avec une fenêtre et une porte. Pas de spots, une seule glace, quelques posters pas très récents. Peinture pas très récente non plus, deux casques modèle ancien, une portière de velours usé pour cacher le vestiaire. Propre, cependant.

J'étais en colère. Bon sang, ma mère n'est pas pauvre, elle l'a été, elle ne l'est plus ! Ne peut-elle donc s'offrir un coiffeur décent, profiter des quelques années qui lui restent et dépenser ses économies ? Jouir des petits plaisirs de la vie, comme tout le monde ! Je rage contre cette paysanne d'autrefois en elle, qui a peur des lendemains et se méfie des commerces trop clinquants. Son refus de la dépense futile. "Mais c'est que j'ai des enfants, moi !" dit-elle. Décrypté : je ne veux pas dilapider leur héritage. Ma colère tourne à la fureur. L'avenir, toujours l'avenir, jamais le présent. Nous sommes vieux déjà nous aussi, nous ne lui demandons qu'une chose : vivre de bons moments avec elle, tout de suite.

J'ai une vie fantasmatique avec ma mère idéale. Dans une vision bien enchâssée sur mes murs intérieurs, je me vois l'accompagner chez le plus beau coiffeur de la ville, sur la place centrale, elle entre avec assurance, je la suis, servante dévouée, prête à se charger de son sac et de sa canne, tandis que s'empresse avec déférence, avec compétence, le coiffeur (un homme, un docteur de la science capillaire, le maître de cérémonie) et que volette un essaim de belles jeunes filles, leur grâce et leur jeunesse choisies pour le service de ma mère, et plus tard je baignerai dans la brillance des miroirs, aspirant par tous les pores les effluves des shampoings et des laques, la musique suave des bavardages enlacés aux chansons en sourdine de la radio, regardant ma mère, buvant ma mère du regard, nous deux flottant dans ce petit nuage de paradis, et de temps en temps sous les mains expertes du coiffeur, sans qu'elle tourne la tête d'un degré, je saisirai un clin d'œil complice, car bien sûr nous ne sommes pas dupes, toutes les deux, c'est une illusion que nous nous offrons, ensemble, dans cette imitation kitsch de paradis, et quand ce sera fini le coiffeur dira "comme elle est jolie, votre maman, madame", et nous sortirons au bras l'une de l'autre, hautaines et sérieuses, pour rire quelques mètres plus loin, ensemble, ma mère et moi...

A l'une de mes visites, j'ai remarqué une chose. C'est étrange, ces changements, ils sont là depuis longtemps, on ne les voit pas tout de suite, on continue avec l'image ancienne, on est en retard.

J'ai remarqué que la peau du crâne apparaissait sous les cheveux. La chevelure de ma mère : drue, épaisse, noire, comme celle des femmes de son village, sauf qu'elle ne la portait pas en petit chignon serré, se faisait faire ce qu'on appelait "une indéfrisable", puis "une permanente". Les mèches grises sont apparues petit à petit, je n'y ai pas prêté attention. C'était toujours la même chevelure vivace. Je n'ai pas vu se faire le changement de son corps.

Elle me tournait le dos, je suis plus grande qu'elle, j'ai vu la peau de son crâne entre les mèches clairsemées. De face, cela se voyait aussi, mais de face, il y avait son visage, les expressions si violemment parlantes de ses traits, son visage prenait toute mon attention, il portait ce que j'avais toujours connu d'elle et qui ne changerait pas jusqu'à la fin.

De dos, son crâne.

Je l'ai crue mal peignée. Elle venait de dormir peut-être, son bras peut-être avait du mal à atteindre l'arrière de la tête. Je l'ai peignée.

Mais à chaque visite, c'est la première chose qui me saute aux yeux. La peau du crâne est de plus en plus visible entre chacune des boucles que la coiffeuse a tenté de former, bientôt il n'y aura plus de boucles, juste de petites touffes clairsemées, à peine recourbées malgré les efforts de la coiffeuse, suivant désormais chacune leur direction. Herbe rare sur un sol dénudé, le corps de ma mère devient un paysage, la nature petit à petit la reprend. Un autre jour, c'est un oisillon que j'ai vu, à peine sorti de son nid. Ma mère, mon bébé, mon vieux bébé.

Ma présence la fatigue. Elle parle trop, s'agite. Je décide de profiter de ces visites pour aller chez le coiffeur moi aussi. Elle approuve, suggère sans insister sa coiffeuse, me glisse de force un billet dans la main.

Derrière la maison de retraite, il y a un salon moderne, pour hommes et femmes, qui offre des services rapides et pas chers. Je n'aime pas cette mixité, ni la station de radio bruyante avec ses bavardages et publicités ineptes, mais je ne veux pas m'éloigner trop, ni trop longtemps. Cela ira. Installée entre un adolescent qui veut être rasé derrière mais pas dessus et une jeune femme qui insiste sur une couleur rouge qui ne soit pas rouge, je me laisse faire.

Plaisir. Je voudrais que le massage de mon crâne dure une éternité. Puis je trouve qu'il dure trop. N'est-ce pas déjà l'heure du déjeuner à la résidence ? Ma mère m'y a inscrite depuis des jours, je connais son anxiété, sa peur d'être en retard, de se faire mal voir des serveuses. Sur ces misérables quarante-huit heures que je lui consacre une fois tous les trente-six du mois, n'est-il pas lamentable de lui en prélever une fraction pour la donner à cette étrangère trop peinte qui me susurre à l'oreille ? Je regarde à peine le miroir qu'elle tend derrière ma nuque, mon cœur bat, je traverse en courant la place, guettant la fenêtre fatidique.

Ma mère est appuyée sur le rebord, elle sourit, elle est ravie. "Eh bien, ils savent y faire chez ce coiffeur, j'irai moi aussi."

Naturellement je n'en crois rien. "Mais oui, pourquoi pas ?" lui dis-je. La fois suivante, chez J.-L. D., je suis plus détendue. J'entre avec bonne grâce dans le bavardage de l'étrangère trop peinte que je vois aujourd'hui comme une commerçante soignée et aimable, j'observe avec passion une jeune fille qui veut garder ses cheveux longs, mais demande qu'on les épointe, "ils sont fourchus", gémit-elle, mais elle a peur aussi qu'on les épointe trop, elle surveille chaque coup de ciseaux, tendue, concentrée. J'avais oublié cet immense sérieux des jeunes filles avec leurs cheveux. Je suis bien, je suis dans le monde, parmi les gens.

Une femme très âgée est sur le trottoir, appuyée sur une canne. Elle est tournée vers l'intérieur du salon, pauvre vieille rejetée en dehors de la vie, qui regarde comment ça se passe, là où les lumières brillent, où les vivants font leurs choses. J'ai le temps de voir combien elle est menue, et l'intensité de son regard. Soudain, je la reconnais, c'est ma mère.

Elle entre, toute souriante, s'approche. "C'est ma petite", dit-elle à la belle dame, la chef coiffeuse, qui termine mon brushing. Je suis tétanisée, ne peux articuler un mot. Je me sens vieillir à vue d'œil, dépare ce salon pour jeunes, retire à toute vitesse mon regard de la jeune fille aux longs cheveux près de moi. On s'affaire pour trouver une chaise, elle s'assied sans protester, ses yeux brillent mais elle ne dit rien, retient son souffle, son sac sur les genoux, sa canne bien serrée contre elle. On dirait une petite fille sage qui attend sa maman. Ma confusion est telle que je cesse d'exister pendant un moment. Lorsque je reviens à moi, tout est normal dans le salon. Ma mère et la chef coiffeuse discutent, et je reconnais dans le ton de leur voix cette musique particulière de la banalité, la chef coiffeuse est à l'aise avec ma mère, bien plus qu'elle ne l'était avec moi. Lorsque nous sortons, elle me dit : "Très gentille cette dame, elle m'a conseillé de venir tel jour à telle heure, il y a moins de monde."

Est-ce donc moi qui fausse toutes les boussoles lorsque je suis avec ma mère ? Elle se débrouille bien, elle n'est pas si vieille, pas si démunie.

Elle retournera dans ce salon de coiffure, abandonnera son ancienne coiffeuse "elle me fatiguait", ce n'est pas exactement ce dont j'avais rêvé dans mes visions intérieures, mais tout de même je suis contente, elle est comme ma mère d'autrefois, avide de modernité, gagnant qui elle veut, par la simple force de son caractère. A Paris, au loin, je me reconstruis cette image de ma mère, elle va chez J.-L. D. (à côté de chez elle, moderne, pratique, agréable), elle a son salon de coiffure, elle va bien.

Et puis, au milieu de la nuit souvent, je revois cette vieille femme sagement assise, attendant sa vieille petite fille, si fière d'être arrivée jusque-là avec sa canne, les petits cheveux blancs redressés tant bien que mal, la robe d'intérieur changée pour une robe neuve, et j'éprouve une telle douleur.

INVITÉE

Elle est invitée, nous sortons. Nous soulevons la pellicule de cellophane, nous quittons la résidence aux murs de crépi rose.

Une voiture vient nous chercher. Ma mère est prête depuis longtemps, elle s'est levée tôt pour se préparer, je m'assois à l'arrière, à côté d'elle. Elle est toute tremblante, je lui tiens la main et bavarde avec énergie.

La maison où nous allons donne en façade sur une belle avenue de la ville et, à l'arrière, sur un parc où s'élèvent deux cèdres majestueux.

Dans le vestibule, un piano à queue, ouvert, avec une partition ouverte elle aussi. Le dessus du piano est recouvert d'un tapis sur lequel le mouvement incessant de la maisonnée enlève ou dépose, en ses flux et reflux, tous les objets témoins de la vie intense qui s'y déroule. On y voit des bouquets de clés de toutes tailles, suggérant dans leur étoilement désordonné l'agitation de la journée : tant de lieux visités, où les possesseurs de ces clés sont attendus, où de leur présence dépend que d'autres mouvements se mettent en branle. Bien qu'elles soient pour l'heure au repos, il suffit de les voir pour entendre leur cliquetis orchestré par le balancement d'une marche rapide, au bout d'une main, dans un sac, au fond d'une poche.

Sur le tapis parmi les trousseaux de clés, dont l'importance leur garantit une place à peu près fixe, circule sans place attitrée toute une domesticité affairée de papiers volants, post-it, dos d'enveloppe, bribes de cahier, qui portent des numéros de téléphone, des adresses, la liste des tâches à faire, des gens à appeler, à voir.

A l'écart, plus assis et mieux cadrés dans leur format, des feuillets imprimés ont l'honneur de quelque objet artistique ramené de voyage, qui par son poids les protège des fantaisies d'un courant d'air et leur fait comme une médaille : amendes, relevés bancaires, avis d'imposition, cartons d'invitation, tickets de cartes de crédit, devis et factures, tous témoignant que la famille qui vit sous ce toit entretient d'intenses relations avec l'extérieur, tant amicales qu'officielles ou professionnelles.

Et au milieu de cette population d'objets bourdonnant d'activités en puissance, mais somme toute ordinaires, quelque autre objet insolite villégiature temporairement, tel l'élément décalé dans ces jeux dits "cherchez l'intrus", transformant le tableau familier en une composition inconnue, comme pour rappeler que le propre de la vie est de se recréer sans cesse. Ce dernier représente le plus grand danger, c'est celui que ma mère ne peut assigner à rien qu'elle connaisse, celui qui lui prouve que des choses se font ici hors de sa juridiction, que son autorité n'a plus cours, qu'elle n'a plus sa place.

Ce piano recouvert d'un tapis lui-même couvert de tous ces objets si éloquents est la première chose que l'on voit lorsqu'on entre dans cette maison où ma mère est invitée.

D'ordinaire, ils jouent pour moi une petite fanfare d'accueil pleine de vivacité. Le voile funèbre se lève, un frétillement se fait dans mes membres et c'est en être vivant et désirant que je pénètre dans le salon.

Cette fois est différente. Ma mère est près de moi, ses yeux sont dans mon visage et c'est son regard qui nous conduit toutes deux. Sur le tapis du piano, ce que je vois maintenant, ce sont des guerriers en armes, des messagers de puissances rivales. Ils parlent de territoires aux séductions mal connues, virulentes, qui peuvent faire oublier à des enfants cet autre territoire plus ancien où ils ne devaient allégeance qu'à une seule femme, leur reine absolue. Je suis sur le qui-vive. Le piano lui-même, comme il est grand, puissant, son armure d'un noir si brillant, ses pattes semblables à celles des lions qui gardaient l'entrée des palais anciens.

Je vois ma mère se redresser, je vois qu'elle met son sourire comme un bouclier, et porte sa voix haut levée comme un drapeau. Elle fait un tel effort. Et je vois aussi son regard inquiet qui soubresaute au fond de ses orbites creusées.

Les jeunes gens, ses petits-fils, dévalent l'escalier. La jolie femme de la maison, sa belle-fille, surgit de la cuisine. Le maître de maison, son fils, arrive sur ses talons. Le téléphone sonne, le portail sonne, un portable trille quelque part sur un canapé, une voiture klaxonne sous les fenêtres, un livreur attend sur le seuil, et voici même le voisin qui passe en coup de vent pour quelque affaire urgente. Tant de gens que ma mère doit jauger en une minute, avec lesquels elle doit se mesurer, contre lesquels elle doit lutter.

Elle y arrive. Elle est encore la reine, la mère, la haute dame. Elle roucoule avec ses petits-enfants, complimente sa belle-fille, son fils, demande des nouvelles de la famille du voisin en esquivant les prénoms qu'elle a oubliés. Elle est dans le tourbillon et ne plie pas. Mais je vois ses orbites creusées, l'agitation nerveuse de ses mains.

"Assieds-toi, maman", dis-je.

Un instant, elle faiblit. "Où est mon sac, où est ma canne ?" La voici en panique, farfouillant dans le vestibule, courbée soudain, agitée de mouvements désordonnés, sa dignité envolée, comme une armure qui révélerait ce qu'elle était, du carton rafistolé. Personne ne s'aperçoit de rien, elle est si petite soudain, parmi tous ces gens de haute taille, dont les paroles sonnent fort, dont les bras battent comme des épées. Je me précipite, je lui fais un rempart, elle marmonne des bribes de phrases "je perds tout, mon dieu, tout s'en va !". Puis "aide-moi, aide-moi". Ses yeux sont fous, elle m'appelle et me repousse, un grand cri qui s'étouffe au fond d'un entonnoir. Soudain nous trouvons le sac, la canne, je les prends, promets de m'en charger, de les maintenir à tout instant près d'elle, comme un bon écuyer. Elle est apaisée et se laisse conduire à son fauteuil. Sa faiblesse momentanée est passée inaperçue.

Je suis hagarde. Les orbites creusées, les cernes, ils sont sur moi maintenant. Vases communicants nous sommes, éternellement. Qu'a-t-elle vu, qu'a-t-elle perçu pour perdre ainsi la boule ? Le trou insondable, où tout s'absorbe et vous quitte : le sac qui contient votre identité, la canne qui soutient votre édifice corporel, puis la peau, la chair, la pensée, cette disparition proprement incroyable dont l'imminence doit maintenant la hanter jour et nuit, au long de ces heures de solitude dans la résidence de retraite. Le trou noir, qui se déplace désormais à côté d'elle pas à pas telle une ombre sournoise, qu'elle maintient aplati sur le sol par la force de sa volonté ou la grâce de l'oubli, et qui parfois, à la première occasion, sac ou canne égarés, se ramasse comme une bête fauve et lui saute à la gorge.

Est-ce moi qui invente tout cela ? De fait, elle a l'air en pleine forme, cette panique pitoyable n'était peut-être qu'une de ses nombreuses ruses, un de ces vieux trucs à elle, dont je n'ai pas à me mêler, sur lequel je ferais bien mieux de fermer les yeux, si j'avais un peu plus de sang-froid, si j'étais plus sage. Question obsédante : est-ce moi qui fous la merde ?

De nouveau, elle commande l'attention. Bon sang, qu'elle est forte ! Même l'objet insolite sur le piano, cette chose qui nous a accroché l'œil dès notre entrée dans la maison, elle l'a "saisi", a jaugé son importance, en parle maintenant avec son petit-fils. Un tam-tam ? "Pour faire de la musique avec tes copains, c'est bien, ça te distrait, les études sont si difficiles." Le garçon, inconscient de parler une langue étrangère, expose de long en large des détails techniques qu'elle écoute en hochant la tête. Elle fait très bien illusion. Elle tire mécaniquement les ficelles de chacun des traits de son visage et cela donne une expression vive et animée tout à fait ressemblante. Le garçon s'y laisse prendre, ne perçoit rien de particulier. Mais voilà que faisant semblant, elle s'y croit pour de bon. Force merveilleuse de la vie ! L'expression mécanique se modifie, retrouve ses racines de chair, le sourire vide fait place au sérieux, bien plein lui, bien charnu : "Quand même, dit-elle, il ne faut pas que ça te fasse oublier tes études, mon petit." Suit un discours sur le travail, les études, l'importance de gagner sa vie et celle de ne pas se laisser entraîner par les copains, qui eux sûrement fournissent un labeur obstiné qu'ils taisent au petit-fils naïf et cachent derrière le tam-tam pour mieux le devancer au poteau, non qu'elle les croie mauvais, ils sont sûrement charmants et elle les aime de tout cœur puisqu'ils sont ses amis, mais c'est la vie qui est comme ça, tu peux en croire ta grand-mère, mon chéri !

Ça, c'est ma mère ! Qu'elle est cohérente et persistante et solide ! Le garçon est maté. Son père se détend, ce n'est pas à lui que revient de faire la morale aujourd'hui, la belle-fille, elle, peut reprendre son rôle de maman-doudou et voler au secours de son petit. La reine est de retour, la reine est dans les lieux, la belle maison de la belle avenue de la ville est redevenue maison vassale, l'oriflamme de l'autorité suprême flotte à la tour, le royaume est en ordre, la hiérarchie en escalier selon les âges comme il se doit, chacun à sa place, et la mort bien loin derrière les remparts, fantôme dégonflé et ratatiné, à qui on ne donnerait pas un sou de crédibilité. Je suis époustouflée.

Et c'est ainsi que ma mère exerce son emprise. Non par des parures, des grâces ou minauderies, mais par ses rappels à l'ordre, au sérieux, à la nécessité de l'effort et patati et patata. Comment fait-elle ? Elle fait qu'en dehors d'elle tout paraît vanité, elle fait qu'elle seule paraît la vérité. Oui, mais comment fait-elle ? Je ne sais pas, il y a plus de cinquante ans que je ne le sais pas, ma mère est mon mystère, le seul dans le fond qui me tienne accrochée comme à un hameçon, et loin derrière viennent les gènes, les virus, le génome humain, la composition du soleil, l'expansion ou la contraction de l'univers et l'origine de tout le monstrueux bazar.

S'étant ainsi rétablie dans l'essence de son être, elle va nous tenir en haleine tout le repas. Je l'ai suivie à la table comme un toutou, portant sac et canne fidèlement, comme promis, "laisse donc ça, dit-elle, mets-les dans le vestibule". Elle va nous raconter des histoires. Des histoires du temps de la ferme, de sa parentèle paysanne, des histoires du temps de son mari, de l'Ecole (la seule, la vraie, l'école normale d'instituteurs que dirigeait son mari, notre père), autant dire des histoires antédiluviennes que nous connaissons tous par cœur mais qu'elle raconte avec tant de verve, d'intensité, de persuasion que nous ne pouvons que rester cois, le bec ouvert, oisillons soumis à la règle de la nature, gobant la pitance tombée du bec maternel, sans questions, sans pensées.

D'ailleurs nous sommes tous crevés. Les dimanches sont jours de crevaison, c'est ainsi. Et le repas du dimanche est le moment de plus grande crevaison, chacun sait cela. Et encore plus grande crevaison lorsque la mère (belle-mère, grand-mère) âgée est là.

Ce n'est pas très clair, ce qui se passe lors de ces repas de famille multigénérationnels. J'en ai connu de plusieurs sortes, mais naturellement celui qui m'intéresse le plus, c'est celui-ci précisément dont je m'efforce de ramasser la multiplicité dispersée au cours des ans en une occurrence unique où ma mère a échangé des courtoisies avec le voisin, a perdu sa canne, son sac et la boule puis a retrouvé le tout, a sermonné son petit-fils après avoir fait le joli cœur devant un tam-tam, puis nous a estourbis d'histoires de la ferme et de l'Ecole, de paysans et d'instituteurs, pour finir par se lever brutalement, se déclarer en partance immédiate pour son lit de mourante à la résidence de retraite, clôturant ainsi à trois heures de l'après-midi, dans une apothéose de séduction sans faille, notre calvaire ou encore notre dernière et plus belle réunion de famille, je ne sais, je ne sais...

Oui, ma mère nous a fait une magnifique démonstration de son talent de raconteuse, chaque anecdote rognée par-ci gonflée par-là, portée par des tournures et des mots savoureux, des citations du patois occitan de notre village ou de quelque discours officiel en cours à l'époque, un clavier d'histoires parfaitement maîtrisées que la voix module en grave ou comique telles les pédales d'un piano à mots, et ponctuées de ces interjections ou onomatopées si particulières à elle, "oh là là, ah mais tu sais, mon dieu mon dieu, ah mes pauvres petits", mêlées à toute une pantomime gestuelle proprement sidérante. Interjections et gestes venus du fond de son enfance rurale, hérités de générations de paysans roués et craintifs, fourmis à la face de la terre, connaissant la force de la nature mais aussi les mille et une ruses éprouvées pour se la concilier, interjections et gestes qui se sont inscrits indélébilement en ma mère, se sont frayé leur propre chemin dans son corps, les seuls qui peuvent exprimer l'indicible, une façon de prendre acte de tout ce qui nous dépasse et qui, dans un contexte religieux, chez des moines habitués à ces vertiges, se serait, j'imagine, traduit par le silence.

Mais ma mère ne va pas jusqu'au vertige, elle le refuse, n'en veut pas, se veut une femme réaliste, les pieds sur terre, et ne dépassant pas les limites en deçà desquelles se tenaient ses ancêtres. Le vertigineux indicible reste enclos en ces "oh là là, ah mes pauvres petits, ah mais tu sais, mon dieu mon dieu", ces façons de se prendre la tête à deux mains, d'agiter les bras, tout cela d'autant plus surprenant que le reste de son discours est d'une belle langue, classique et parfaitement correcte, telle qu'on l'apprenait autrefois dans les classes de première supérieure et les écoles normales.

Mélange unique que cette langue de ma mère, et je regrette aujourd'hui de n'en avoir pas noté les particularités, en détail, au jour le jour, je croyais m'en souvenir toujours bien sûr et je m'aperçois que j'ai oublié, que je suis obligée de laborieusement expliquer en des phrases qui ne me conviennent pas, avec trop de subordonnées enchaînées et de "qui" et de "que", moi qui n'ai toujours désiré que sautiller avec les mots, comme la petite fille que je suis, à cause de ma grande peur. Il est clair que je ne peux pas le faire avec ma mère.

Parmi les questions que s'entend poser l'écrivain, revient celle-ci : "Prenez-vous des notes ?" Je réponds "non, si cela ne reste pas, c'est que ce n'était pas important". Oui, sans doute, cela marche ainsi pour moi, cela a toujours marché ainsi... sauf avec ma mère.

Mais comment aurais-je pu prendre des notes ? Il aurait fallu oublier que c'était ma mère, que j'étais sa fille, il aurait fallu me souvenir que j'étais un écrivain, garder ce "quant-à-moi", ce "par-devers moi", ce lieu secret, intime et impersonnel à la fois, forteresse ouverte à tout vent où gîte l'écrivain. Pas de forteresse qui tienne avec la mère, elle y était déjà de tout temps, avant que les murs n'en soient même construits. Et pas de vents circulant librement non plus, là-dedans elle était elle, j'étais moi, nous deux solidement ligotées dans notre histoire, et ma mère n'était pas encline à s'éloigner trop de sa propre histoire. Certes plus que les dames, ses voisines de la résidence de retraite, mais pas trop tout de même.

Hébétée j'étais avec elle, toutes mes énergies mobilisées par l'entrelacs complexe de notre lien, le monde éteint autour de nous, le monde réduit à la résidence de retraite, tant et tant de dimanches où je suis venue, attirée, hypnotisée, accomplir mon devoir, oui, mais mon devoir me commande-t-il de perdre ainsi le sens, et pendant ce temps des livres se publient que je n'écris pas, des colloques se tiennent auxquels je ne participe pas, des pensées se pensent, croissent, fulgurent dont je ne sais rien, le monde tournoie très loin, et après il me faut pas à pas péniblement regravir des pentes, glissades incessantes.

Oh ma mère, ce qu'il aurait fallu, ce qui aurait peut-être apaisé mon cœur, c'est que je vieillisse avec toi, c'est que je meure avec toi, te tenant la main jusqu'à la barrière noire et au tombeau de granit là-bas dans le petit cimetière entouré de prairies où t'attendaient les ossements de tous ceux qui t'avaient précédée dans ce village si ancien.

"Je ne veux plus qu'une chose, rejoindre mes morts", disait-elle, et je le crois. Rejoindre ses morts, oui, lorsqu'on est accompagnée de ceux qui vous sont proches, entourée jusqu'à la dernière minute du monde qui est le vôtre, c'est ainsi que ma mère voulait sa mort, elle le voulait si fort, elle aurait eu tous les courages alors, effaçant ses souffrances, souriant, donnant ses conseils, notre mère jusqu'au bout, passant devant, aplanissant la voie pour nous, nous faisant rempart de son corps offert à l'ennemi dernier, puis se retournant et nous faisant ce joli signe de la main "allez mes petits, ce n'est pas si terrible"...

Mon père est mort dans sa maison, sa compagne de toujours auprès de lui, mais eût-il été seul, je ne crois pas que son appel aurait été aussi passionné, son outrage aussi immense. Il est mort sans rien demander, acceptant de n'être que cela : venu, puis parti. Mais ma mère était une femme, incarnant malgré ses proclamations toute l'impérieuse et ténébreuse nature. En elle, si vive, impétueuse, si moderne, roulait le cours obscur des choses, et il gagnait sur elle, l'envahissant jusqu'à la dernière cellule, et sur la fin imposant sur tout son être la loi première : chair-relais, chair-jalon, faite pour le passage d'une génération à une autre.

Encore fallait-il que ceux pour qui sa chair avait obéi à l'antique loi soient là, que nous ses enfants soyons là. Nous n'étions pas assez là, pas toujours, pas essentiellement là. Et qu'à ce monstrueusement naturel désir, j'offre pour réponse une visite par mois était dérisoire.

Ma mère sur la fin livrait un combat effroyable, non pas pour sa vie, pour quelque chose de bien plus énorme. Nous le devinions confusément, nous parlions de problème de société, de la solitude des vieillards aujourd'hui, des contraintes de nos métiers. Notre impuissance nous rendait hargneux, dans le fond nous étions très malheureux.

Je bois trop, pendant ce repas de dimanche.

Je suis fière de présenter ma mère au public. C'est moi qui l'ai habillée, coiffée, soutenue jusqu'ici, regardez comme elle est charmante dans sa veste de laine bleu clair, comme elle se tient bien, comme elle joue bien son rôle, elle fait chaud au cœur, par elle tout va comme il se doit, la pièce est un succès, applaudissez-la, applaudissez-nous.

Je mange trop aussi. Mon frère va chercher une autre bouteille. Je le regarde du coin de l'œil. "Tout va bien, la vie est belle", dit-il à la cantonade. Cela fait trois fois ou quatre fois qu'il dit cela.

Les garçons participent normalement. Le téléphone sonne souvent pour eux. Ils s'éclipsent, on entend leur grosse voix "on déjeune avec ma grand-mère, OK un peu plus tard, salut", ils reviennent, gentils garçons, rien à redire. Ma belle-sœur est normale aussi, tout va bien.

Soudain je prends conscience que quelque chose en fait ne va pas du tout. Ma mère tire sur une corde, elle tire sur un paysage ancien, le sien, où mon frère et moi sommes tout petits, où la ferme est celle de deux paysans encore vigoureux, où les villes sont celles de notre enfance, où mon père est l'autorité qu'il fut. Elle tire pour amener tout cela ici, sur la table de ce repas de dimanche, elle peine, elle force. Elle tire dans l'autre sens aussi, pour amener notre tablée dominicale vers ce paysage (si lointain pour nous, si proche pour elle), elle essaye dans les deux sens, son labeur est inhumain. Sa vie est en jeu, elle est en passe d'être annihilée, écrasée, comme elle s'efforce d'exister encore, elle est si seule dans cette bagarre ultime, sa volonté est si forte, ses atouts si minces.

J'allume cigarette sur cigarette. Fumée, fumée. Nous sommes quatre au sein de ce brouillard, deux petits deux grands, personne d'autre, mon frère et moi serrés entre nos parents. Ma mère a sa robe bleue à pois, son rouge à lèvres cerise, mon père a sa haute taille, ses cheveux très noirs ondulés, je suis la longue asperge de mes onze ans et mon frère le diablotin de six ans, nous sommes dans la Peugeot sur une route de campagne bordée de fougères, nous quatre seulement, ou peut-être dans le grand lit de nos parents où nous nous sommes réfugiés parce que l'orage gronde sur les collines, nous quatre seulement. C'est cela que tu cherches, maman, rien d'autre, pourquoi s'en cacher, simplifions, je suis prête à te le donner, je suis prête à fusiller tous les autres, les intrus, les usurpateurs, leur faux monde, c'est la guerre, la guerre à mort, je le sens, il faut choisir son camp, je choisis le tien, le tien, maman.

Je bois, je fume. Les garçons ne sont plus là, je ne les ai pas vus partir. Mon frère s'est endormi sur le canapé. Je débarrasse avec ma belle-sœur. Ma mère cherche son sac, sa canne. Nous allons rentrer à la résidence de retraite. Mon frère se réveille brutalement. Il va nous conduire dans sa voiture. Une belle réussite, ce repas dominical. Je suis contente, lui aussi. Il nous accompagne jusqu'à l'appartement de la résidence, s'assoit un instant avec nous. Ma mère rayonne. Je le raccompagne à sa voiture. Au dernier moment, par la fenêtre de la portière, nous nous étreignons bizarrement le bras, fils de ma mère, vieux camarade mon frère, à la prochaine, à la prochaine bataille...

CHINOIS

Sur la petite place piétonne devant la résidence joue un groupe d'enfants. Je les retrouve à chacune de mes visites (le week-end donc), se livrant aux mêmes activités, comme s'ils n'avaient jamais quitté les lieux. Ma mère m'assure qu'en semaine, on ne les voit pas de la journée, mais que dès la fin de l'après-midi, ils sont là.

Cette dernière précision me met sur le qui-vive. Il y a une coloration nouvelle dans sa voix. Je veux dire par là que l'être de ma mère n'est pas à demi absent de ses paroles, il y est présent tout entier : par ces enfants qui jouent, elle adhère au monde, et le monde en retour l'agrippe et la retient. Je veux dire aussi que cette coloration n'est pas nouvelle, elle lui était ordinaire autrefois, avant sa grande catastrophe et la résidence de retraite, mais n'est reparue que rarement depuis, puis plus du tout me semble-t-il. Par exemple, elle n'est pas dans sa voix lorsqu'elle me fait remarquer le passage des dames qui vont à l'église le dimanche matin.

Les enfants sont six, et chinois. Leurs parents sont sans doute les gérants du magasin de denrées orientales installé récemment au coin de la place. Leur âge s'échelonne entre cinq et douze ans, ils ont les yeux fendus, les cheveux noirs avec une frange raide. Les aînés, c'est-à-dire les cinq plus âgés, ont tous un vélo. Un vélo pour cinq, j'entends, mais qui peut en porter trois à la fois, tandis que les deux autres courent à côté, et vice versa aussitôt. Seul le petit dernier reste en rade. C'est celui-ci que ma mère aime, qui l'a charmée et qu'elle a charmé. Celui-ci qui ne monte pas sur le vélo ni ne court à ses côtés, puisque à quoi bon ?

Le voici justement qui passe à quelques pas, marchant seul, mélancoliquement. Ma mère ouvre vivement la fenêtre (l'appartement est au rez-de-chaussée). "Bonjour", dit-elle. Plus doux, plus délicieux bonjour, il ne peut y avoir. L'enfant ne répond pas, mais il s'est arrêté. Il a levé les yeux, ses yeux si finement fendus qu'on distingue à peine la pupille. Il ne sourit ni ne cille. Peu enthousiaste, le môme, me dis-je. Mais je me trompe. "Alors tu n'as pas encore pu monter sur le vélo ?" dit ma mère. L'enfant hoche la tête. "Oh, quand même, c'est trop fort...", s'exclame-t-elle.

Cette exclamation me fait tressaillir. On dirait, oui, que ma mère n'est plus sous la pellicule de cellophane, que le linceul transparent qui la couvre et l'enserre a disparu, n'a jamais existé. Nous sommes à l'air libre. Respiration facile, tête dégagée. Je ne demande pas mon reste et m'accoude avec elle, au balcon de la vie.

"Oh, quand même, c'est trop fort !"

Elle est de son côté. Dans cette ville indifférente au sort des trop petits garçons chinois, il y a au moins une personne du côté de la justice. Je spécifie "chinois" parce que le dernier de cette fratrie étrangère ne parle sans doute pas encore la langue locale. Etre chinois en ce cas ajoute un handicap à la petite taille du très jeune âge. Là aussi, je me trompe, mais passons.

Une personne, donc, du côté de la justice. L'enfant le sait : cette personne est là dans l'encadrement de la fenêtre. Au sein de cette ville, une grande injustice se répète chaque jour, et ils sont deux à communier dans l'indignation : celui qui souffre de l'injustice et celle qui est son témoin, ou si l'on veut la victime et son avocate.

"Il ne faut pas te laisser faire", dit ma mère. L'enfant ne cille pas, mais il est clair qu'il saisit l'essence du propos. Il saisit très bien que ce propos s'énonce en sa défense.

Après le registre de l'encouragement, ma mère passe à celui de l'espérance. "Ils vont bien se lasser, va, et tu pourras le prendre toi aussi, le vélo." L'enfant ne bouge pas.

"Attends, je vais te donner quelque chose", dit-elle.

J'ai idée que l'enfant va profiter de ce qu'elle a quitté la fenêtre pour détaler. Non, il attend. J'essaye, sournoisement, de tenter ma chance. J'étais plutôt douée avec les enfants, je le suis encore. Quand je vais dans les classes pour parler de mes livres (mes livres pour la jeunesse), je suis accueillie avec enthousiasme, on se bouscule pour me poser des questions, les oreilles se dressent, les yeux pétillent... Je me fais fort d'embobiner ce petit marmouset tout aussi bien et mieux que ma mère. J'essaye. En français, puis en anglais, puis par signes.

L'enfant a détourné la tête, calé les mains sur les hanches. Il a la pose de celui qui attend lorsqu'il n'y a personne. Je ne l'intéresse pas. Je n'existe pas. C'est ma mère qu'il veut dans l'encadrement de la fenêtre.

Elle revient avec un sachet de confiseries. Avec effroi, je vois que ce sont des pastilles de Vichy. Les pastilles de Vichy sont à mes yeux le bonbon de la vieillesse, l'enfance ne saurait s'y intéresser. Je veux mettre ma mère en garde, lui épargner une humiliation, moi qui suis mieux informée des goûts d'aujourd'hui. Là encore, je me trompe.

Elle sort une dizaine de ces pastilles aux coins cassés, à la couleur blanche de médicament, les tend au petit et celui-ci les prend, toujours sans ciller, gravement, les installe méthodiquement dans l'une et l'autre de ses poches, incline légèrement la tête et s'en va.

Ma mère ferme la fenêtre et me regarde, les yeux brillants.

"Pauvre petit, il faut qu'il attende des heures avant de pouvoir monter sur ce vélo, il est patient, tu sais…"

Sous la modulation de cette phrase aurait parfaitement pu se glisser cette autre phrase : "Pauvre garçon, il faut qu'il travaille jusqu'aux aurores pour finir son programme, il est courageux, tu sais…" C'est-à-dire, peu ou prou, ce qu'elle disait de son fils lorsqu'il préparait ses examens de médecine.

Ma mère, si exclusivement occupée de ses bébés à elle (mon frère, moi), vient d'adopter un petit Chinois. Et ce petit Chinois s'est laissé adopter. A toute sa communauté d'origine, qui doit être vaste, à sa communauté scolaire qui doit bien compter vingt-cinq enfants plus la maîtresse, et à la petite communauté sur roues qui hante la place de la résidence, à tous ces gens, il a préféré ma mère. Il l'a élue entre tous. Il a choisi pour compagne, confidente, avocate, soutien et amie une vieille femme qui n'a à lui

proposer que des paroles obscures et des pastilles de Vichy. Bravo, maman.

Dans la maison de retraite, on ne prête pas
attention à ces gosses de la place, si ce n'est
pour se plaindre des nuisances de leurs jeux.
En sortant, les résidents craignent de se faire
accrocher par un vélo, un ballon, ou un petit
bolide sur jambes. Ils se plaignent aussi du bruit
(crin-crin de sonnettes, grincement de pédales,
tap-tap de ballons, criailleries). Il est exact que
cette place se compose de deux parties, le forum
qui relève de la résidence et la partie strictement
publique. Il semblerait qu'il est interdit de faire
du vélo dans la partie forum. Il est question
d'interdire le forum aux enfants.

Dans la résidence, on ne s'intéresse qu'à ses
enfants à soi (petits-enfants bien sûr). Ceux des
autres sont des nuisances potentielles. Cliquez
sur le mot "enfant", il ne mène qu'à deux sites :
attendrissement (les siens, à la rigueur ceux
des voisins), dangerosité (ceux des autres, surtout ceux de la rue).

Ma mère n'est pas ainsi. Ma mère est capable
de lancer un pont par-dessus le gouffre des
années et de s'aventurer, toute seule, avec ses
maigres moyens, sur un continent étranger
(l'enfance, la Chine), pour échanger, offrir et
recevoir.

Cette vivacité, cette impétuosité que peut
avoir ma mère ! L'insatiable curiosité de la petite
villageoise pour le vaste monde. Et la tendresse
pour les embarras des exilés. Pas de xénopho-
bie chez elle. Enfant, elle parlait le patois de
son village, qui n'était pas le même exactement
que celui du village voisin, une langue des

frontières occitanes où les mots latins étaient encore très reconnaissables mais dont les déclinaisons s'étaient écrasées au fil des siècles sous le long meulage des travaux et des jours de la vie paysanne.

Avec les autres gosses du village, elle faisait chaque jour plusieurs kilomètres à pied pour se rendre à l'école du bourg. Dans cette école, comme sur tout le territoire de la république, on parlait français. Toute rechute dans le patois était interdite. Elle n'a pas ouvert la bouche jusqu'à ce qu'elle sache former des phrases parfaitement correctes. L'institutrice s'était inquiétée de ce mutisme, ses parents aussi. Interrogée, sollicitée, ma petite mère ne livra jamais son secret. Peut-être ne savait-elle pas elle-même ce qui lui clouait ainsi la langue. Apprendre le français, avant toute chose. C'était la première porte de toutes celles qu'elle a dû forcer. Mais, contrairement à ses petits camarades du village, elle avait su que c'était une porte essentielle, celle qui conditionnait l'ouverture de toutes les autres. Pour pénétrer ce monde inconnu qui s'étendait au-delà de sa campagne, il fallait d'abord en apprendre la langue.

Je pense que c'est là, dans la petite classe de l'école primaire du bourg, que ma mère a commencé son harassante entreprise de conquête. Rien n'irait de soi, il faudrait gagner de haute lutte, toujours. Au cours complémentaire, à l'école normale, à l'université. Au chef-lieu du département, à Paris. Dans la jeunesse, puis l'âge adulte, et maintenant dans la vieillesse.

D'où, peut-être, ses migraines récurrentes, l'épuisement dont elle se plaignait si souvent, ces nuages noirs qui parfois l'enveloppaient et dont il nous semblait qu'elle ne sortirait jamais.

En elle, une toute petite enfant ne cessait de se hisser hors de la langue maternelle.

On ne devine pas ce que c'est, ce hissement perpétuel, chez ceux qui portent au cœur de leur chair une langue d'enfance qui est une langue méprisée. Chez certains, il a pour effet secondaire la violence. Chez ma mère, c'était l'épuisement.

Ses crises d'exténuation nous faisaient très peur, à mon frère et moi. Mais quand elle en émergeait, quelle exubérance ! Une réactivité extrême aux gens, aux choses. De la nervosité, pourrait-on dire. Pour nous, ses enfants, elle faisait du charme au monde, nous en étions les premiers charmés, nous en étions éberlués. Maintenant qu'elle n'est plus là, la vie certes nous est plus reposante, mais où est passée sa saveur ? Notre grande médiatrice s'est tue. Il nous faut laborieusement traduire le langage de la vie. Nous sommes des enfants appliqués, privés du souffle de l'inspiration. Parfois, je sens un goût de larmes, une sorte de surlignage noir à tout ce qui s'inscrit en moi.

Ma mère m'explique comment s'est passée la première rencontre avec le petit garçon. Le voyant si esseulé sur la place, elle s'était arrêtée pour lui parler. Comme l'enfant ne répondait pas, elle s'était figuré qu'il ne comprenait pas le français. Mais elle avait persisté. Un jour, soudain, il avait répondu. "Je m'appelle André", avait-il dit avec un accent parfait.

André, le prénom de son mari, de mon père.

Mon père avait une vision modeste de sa place dans l'existence, une chose cependant lui causait un contentement quelque peu amusé : son prénom. Celui du prince André de *Guerre et Paix*. Il m'associait à cette prestigieuse filiation, car pour lui j'étais tout le portrait de Natacha enfant. Ainsi mon père et moi avions cette complicité secrète, nous avions un double plus vaste, plus beau dans le roman de Tolstoï.

Dans l'un de mes livres, le prénom du père, un père idéalisé, est Andrew. Longtemps après sa publication, j'ai pris conscience qu'Andrew était le pendant anglais d'André.

Le petit André chinois est entré tout naturellement dans la vie de ma mère. Jeune fille, elle avait lu Pearl Buck, un auteur à la mode alors. La Chine s'était présentée à elle à ce moment de grande réceptivité de la jeunesse, elle en avait gardé une affection émue pour tout ce qui touchait à ce pays. Il y avait pour elle une Chine éternelle, qui ressemblait fort à son village. Ma mère était de plain-pied avec la Chine.

Je suis heureuse, je suis détendue. Le poids qui me plombe la tête s'est allégé. Nous regardons la petite bande d'enfants, nous commentons leur manège complexe autour du vélo, du ballon. Ma vieille résistance est tombée, je bavarde sans arrière-pensée.

Qui devinerait que sur cette placette d'une résidence de retraite, de vieillards si vite indisposés par le piaillement des enfants, sur cette placette provinciale et sans attrait, circulent mystérieusement des courants venus de la Russie, de la Chine ?

Aucun des habitants de la résidence n'est capable de cela, de faire circuler ces courants. Ma mère en est capable. Je suis fière d'elle, je l'aime, j'accepte d'être sa fille, puisque être sa fille, c'est aussi être de la Russie, de la Chine, de tout le vaste monde et de la littérature en sus. Ma mère est supérieure à tous les vieillards de la résidence. Leur richesse est tout extérieure et de convention, celle de ma mère est intérieure et toute personnelle. Pas de vieillesse pour elle, pas de linceul prématuré, on la mettrait dans un trou, dans une cellule, qu'elle y trouverait encore de la vie. Elle est forte, ma mère, et moi je suis légère et gaie. Nous pépions comme des perruches, le roulement des voitures est vif sur le boulevard, des gens passent que nous saluons et, tant qu'à faire, nous pépions sur eux aussi. André revient chercher sa dose de pastilles de Vichy, revient une deuxième fois pour la communication suivante : il aura un vélo quand il sera grand, puis une troisième fois pour obtenir confirmation de cet espoir, confirmation que ma mère lui donne sans réserve, avec fermeté et chaleur.

Grâce à André, je passe un bon week-end et m'en retourne consolée et pleine d'espoir, moi aussi.

Plus tard, me repassant la scène, j'en comprends soudain le véritable sens. Sous les pastilles, la ruse. Le but n'était pas de les manger, mais de les échanger. Pour André, le cerveau de ma mère avait remis en marche sa science du marchandage. Tant de bonbons pour un tour de vélo. Aurais-je pensé à cela, moi ? Pas si vieux, son cerveau, et moi encore une fois ébahie. Mes tactiques, mes a priori, tout à revoir.

PENDERIE

Ce week-end, nous allons partir en voyage, un voyage spécial.

"J'ai besoin d'une robe", dit-elle. Ce n'est pas la première fois. Sur une carte sommairement dressée des activités humaines, on pourrait croire que la case "besoin de se vêtir" mène en ligne directe vers la case "magasin de vête-ments". Pas ici, pas sous la cellophane. A peine énoncée la phrase, le chemin bifurque aussitôt.

Elle me regarde, guette sur mon visage un signe, je ne sais lequel. Veut-elle que je l'en-courage ("ici, il n'y a que les apparences qui comptent"), veut-elle au contraire que je la décourage d'une épreuve fatigante, qu'elle redoute ? Dois-je dire "bien sûr, il faut t'acheter une robe", ou bien "pourquoi donc, celle que tu as est très bien" ? Je garde un visage neutre, ouvert cependant à toutes possibilités. En fait, je n'y suis pas du tout. Il ne s'agit pas aujour-d'hui de faire un achat.

"Viens voir", dit-elle soudain.

Entre la petite chambre du fond et l'entrée, il y a un étroit couloir avec une penderie à portes coulissantes. Elle s'arrête devant ces portes. Je ne le sais pas encore, mais c'est le début de

132

l'un de ces longs voyages comme nous en faisons ensemble, elle et moi, dans lesquels personne d'autre ne saurait nous accompagner, et dont je ne sais jamais en quel état nous reviendrons.

Les robes sont suspendues serré, certaines sont très anciennes. Je les connais toutes. Ou bien se ressemblent-elles tant à mes yeux que l'une a succédé à l'autre sans que le changement m'ait frappée ?

Elles ont presque toutes la même longueur, la ligne des ourlets en bas fait une lisière touffue sous laquelle (hallucination légère, fatigue, air raréfié sous la cellophane) je vois les jambes de ma mère. Pas très grandes (les paysans de notre campagne étaient plutôt de petite taille), mollets fermes, chevilles fines, des bas couleur chair été comme hiver, clic-clac pressé des jarretelles, plus tard le collant, une façon de le tirer d'un coup haut sur les hanches, pressée, pas de temps pour des balivernes, vite passer son armure et filer à ses devoirs, grande culotte de coton blanche écrasée dessous, ou rose, un peu moins grande que celles de ma grand-mère, tout de même très couvrante, de la taille au haut des cuisses, le mot "culotte" une révulsion pour moi adolescente, je n'ai jamais prononcé que le mot "slip", jamais voulu que des "slips", c'est-à-dire plus étroits, des allusions de culottes, aujourd'hui le mot est revenu à la mode, mais on dit "petite culotte", c'est à la fois sexy et jeune, ma mère n'a jamais dit que "culotte", j'entends le mot "cul", je vois cette grande chose blanche, ou rose, attachée par deux pinces à linge et séchant dans la salle de bains, ces jambes de ma mère, toujours trottant, si familières et si étranges, les mains ne me sont pas si étranges, ni les bras, ni le cou, ni la voix, ces jambes garantes de la bonne organisation de notre vie, mais avec la tache foncée qui ne nous appartenait pas, au-dessus du genou, et les cuisses qui ne nous appartenaient pas non plus, à nous les enfants, et au-dessus encore, gêne et mystère, et aujourd'hui pour moi une douleur-douceur, les jambes de ma mère vieille, inchangées dans leur forme mais ne trottant plus, précautionneuses, immensément émouvantes, je les vois sous la ligne touffue du bas des robes, à la lisière des ourlets.

Il fait chaud dans ce couloir, ou il fait froid, non, température comme il n'en existe nulle part, indescriptible. Les effluves aussi, odeurs mêlées de corps, de tissus synthétiques, et un assemblage de couleurs qui s'empare du cerveau, hypnotise.

Les robes ont toutes la même forme, ou presque, sur laquelle elle a dû s'arrêter un jour, moule définitif de son corps de vieillesse, reflétant une vie qui irait désormais d'un cours uniforme jusqu'à la fin. Forme atteinte sans doute par élimination progressive du superflu, parallèle à l'amenuisement de sa vie active.

Plus de plis, de fronces, de volants, de ceintures, que sais-je ! Plus même de ces "lés" dont la couturière autrefois faisait si grand cas, mot étrange qui hantait les discussions infinies au cours des essayages, "lé" comme lait (les seins), comme laid (les hanches, l'étoffe piquée d'épingles), cette complexité troublante, gênante, des femmes.

Fini tout cela. Maintenant robe droite de bas en haut, à peine cintrée à la taille, ourlet juste sous le genou, boutonnage devant pour la facilité, degré dernier de la robe, après quoi plus rien, chemise d'hôpital ou linceul. Pas moche pourtant, loin de là, compagne parfaite du corps, son émanation exacte, sa jumelle, enfin trouvée comme après de longs errements, d'une fondamentale évidence, et pour cela d'une séduction radicale. Ma vieille petite mère, dans sa robe de base, au milieu de toutes les dames enfarinées et emplumées de la résidence, plus attachante qu'elles toutes...

Je voudrais savoir. Quand cette forme s'est-elle imposée ? Dans les photos qui me tiennent lieu de souvenirs, je vois des robes amples qui devaient danser sur les jambes (les fameux "lés" savamment agencés). Et le coffre découvert dans le grenier de la ferme, un jour de mon adolescence fureteuse, véritable caverne d'Ali Baba, à peine ouvert et aussitôt débordant de tissus soyeux longtemps comprimés et qui se redressaient et gonflaient, une robe de taffetas jaune à volants superposés, et d'autres dessous, ma stupéfaction : ma mère avait eu des robes de bal ! Pourquoi me les avait-elle cachées, moi qui aimais tant les déguisements, il y avait là de quoi faire des spectacles magnifiques pour mon unique et fidèle spectateur, mon petit frère, ou pour nourrir mes rêveries de jeune fille. Ma mère fronçait le sourcil, elle n'avait pas envie d'ouvrir ce coffre avec moi.

Ma grand-mère interrogée : mais oui, bien sûr, il y avait des bals à la campagne. Et elle aimait bien ça, elle, ma grand-mère. On y emmenait ses filles, on s'installait le long du mur et on causait toute la soirée avec les autres paysannes, en surveillant les gars qui venaient demander permission pour une danse avec la demoiselle endimanchée. Après on revenait à pied par les chemins vaguement éclairés de lune, en soulevant ses jupes pour que la boue ne les gâte pas, ou peut-être mon grand-père attendait-il avec la voiture à cheval, causant audehors avec les autres paysans.

Dans cette vie en circuit relativement fermé de la campagne, où on produisait ce dont on avait besoin mais où il y avait peu d'argent, on avait donc fait la dépense d'une, de plusieurs robes inutilisables dans le labeur quotidien, à porter juste une fois. Parfaitement, et pas question de lésiner, et cela lui plaisait à ma grand-mère, de faire faire ces robes pour son unique fille. Investissement pour l'avenir, sans doute : il fallait se trouver un gendre sérieux et capable pour la ferme, plaire au gars, donc, et on avait sûrement son idée sur celui qui pouvait faire l'affaire. Plaire aux parents du gars, c'était déjà fait de toute façon, mes grands-parents avaient des terres et une réputation de gens solides et fiables. Mais surtout le bal était occasion unique pour les mères, fête autorisée, reconnue d'utilité publique, bavardages et commérages inclus, sans le poids obligé de tristesse qu'imposait cette autre occasion de repos qu'étaient les enterrements. Les paysannes, mariées si tôt, passant sans transition du labeur de la ferme avec les parents au labeur de la ferme avec le mari, retrouvaient là, grâce à leurs filles, un peu de leur si brève jeunesse, en jouissaient même mieux, de cette façon décalée et par procuration, ce que ma grand-mère avait bien deviné, elle qui avait voulu deux bagues de fiançailles, une pour tous les jours et une pour les bals. Oui, on savait s'amuser à la campagne.

Soupir peiné de ma grand-mère : "Mais ta mère n'aimait pas les bals." Seize ans, donc, elle avait, l'âge où commençaient à se tramer les mariages, l'âge où se sont déclarées ses premières migraines.

Ma mère ne voulait pas rester à la ferme. Le fils du fermier voisin, ou le cousin du village d'à côté, elle les aimait bien, mais pas pour les épouser. Et peut-être finalement lui faisaient-ils horreur, ces gars de la terre, je ne sais pas. Répulsion physique, torture de ces bals, à faire tapisserie dans sa robe de taffetas à volants, présentée comme du bétail à la foire, aux côtés de sa mère bavarde et rusée, l'odeur forte des garçons, leurs mains rudes et leurs paroles maladroites... Ma petite mère voulait réussir par son esprit, et donc faire des études, refuser à sa mère les grandes réjouissances des bals de campagne, refuser à son père les bras d'un paysan pour continuer son œuvre ancestrale, refuser à son corps le plaisir d'une robe à frou-frou, désoler tout le ban et l'arrière-ban de sa famille, et s'en aller toute seule, tête baissée, concentrée, se privant beaucoup et se ron-geant les sangs à l'idée de sa trahison.

Ma grand-mère a perdu sa place enviable de belle-mère potentielle, mon grand-père a perdu l'héritier mâle qui lui était si nécessaire, ma mère a obtenu ce qu'elle voulait. Au prix fort cependant, et je sais que ce prix, moi sa fille, j'ai continué, continue, à le payer.

C'est du moins l'une des histoires que je me raconte, parmi toutes celles que fait sourdre ou jaillir cette source sombre et vive et propre-ment insondable d'histoires qu'est ma mère, dès que je pense à elle, à moi, à nous deux puisque c'est pareil.

Tiens, nous avons fait un détour au cours de notre voyage. Nous sommes maintenant assises devant la boîte à boutons, comme devant un casse-croûte.

Le bouton. Beaucoup de prestige accordé à cet accessoire. Le prêt-à-porter l'a laminé, uniformisé. Mais, à l'époque où on faisait faire ses robes chez la couturière, où on se soumettait à de longs essayages, on choisissait aussi ses boutons, points d'orgue de la robe ou du manteau. Dans cette façade que créait le vêtement, ils étaient la seule véritable fantaisie, ce qui restait de l'invraisemblable abondance de fioritures imaginées à la cour de nos rois. Sur le bouton se concentrait le souci d'être bien mis et que tout soit assorti.

Aujourd'hui encore, si je penchais la boîte, les boutons entraîneraient dans leur cascade tintante le souvenir de chacun des vêtements qu'ils ornaient, un grand déversement qui me mènerait directement chez ma mère, dans les territoires de sa vie.

Lisses ou granuleux, ronds, renflés ou évidés, triangulaires, ovoïdes. Petits comme des pépites ou larges, minces ou épais. Et les couleurs : bleu canard, jais, bois, ciel, et celles de toutes les pierres, précieuses ou semi-précieuses. Au centre, comme des points, les trous : deux, en regard, bien écartés et assez gros, ou trois, en triangle au fond d'une dépression centrale, ou quatre c'est-à-dire deux sur deux en parallèle, pour du bien accroché, du solide. En y regardant bien, un peu obscènes, comme les trous minuscules dans l'entrejambe ou le derrière des baigneurs en celluloïd.

Drôle de chose le bouton, installé sur le vêtement pour fermer deux pans certes, mais aussi bien cousu ailleurs pour rien, pour décorer, faire écho, faire beau...

Sur les robes dans la penderie de la résidence de retraite, il ne reste que des boutons
ordinaires, faits pour fermer. Après les cahots
du voyage dans le passé de ma mère, nous
revenons dans les territoires des dernières
années. Les robes à l'achat desquelles j'ai par-
ticipé, presque toutes. Celle-ci aux couleurs
éteintes : elle voulait de la couleur, mais toutes
les couleurs étaient trop vives, ou trop tristes, il
n'existe pas de couleurs à la fois vives et non
vives, des couleurs qui auraient reflété l'im-
passe de la vieillesse, vivre et ne pas vivre, elle
ne mettait jamais la robe sans un hochement de
tête désabusé... Cette autre, qui me fend le
cœur, à cause de son col blanc, si frais, si sage :
la robe est parfaite, avait-elle dit à la vendeuse,
s'il n'y avait ce blanc au cou, qui se salira trop
vite, et donc elle ne pouvait l'acheter, ce qu'elle
aurait fait si..., mais ce col-là peut se détacher,
avait dit la vendeuse, et ma mère avait été
coincée, vaincue pour une fois, elle avait dû
prendre la robe et je la revois lavant le col avec
soin dans le lavabo de la salle de bains, le sus-
pendant, facile en effet... La robe elle-même,
d'un bleu miraculeux, ni voyant ni éteint, et la
touche blanche au cou, ma mère comme une
grande élève de pensionnat, une élève de la
dernière classe, sérieuse mais déjà femme et
prête à entrer dans la vie, et pour cette dernière
raison on aurait toléré le bleu, un peu auda-
cieux tout de même... Ma mère avec sa robe
bleue à col blanc, pensionnaire de la dernière
résidence, prête à entrer dans la mort.

Toutes les autres robes, l'une après l'autre,
certaines qui devraient être jetées, usées ici ou
là, mais elles peuvent encore servir, à la maison,
pour les mauvais jours, les mauvais jours sont

de plus en plus nombreux, on ne jette pas. Et je suis lasse, épuisée à la racine de mon corps, la tête me tourne, "je t'ai fatiguée, mon pauvre petit", dit ma mère. Nous refermons la penderie.

Je ne suis pas si fatiguée, puisque je suis contente de la voir contente, nous avons réussi à bien occuper cet après-midi, ma mère s'est regonflée de sa vie à elle.

Les robes serrées dans la penderie, où se retrouve sur le tissu dès qu'on le secoue la forme du corps, sont les femmes qu'elle est et a été. Il faut bien les sortir de temps en temps, ces femmes étouffées, leur faire respirer l'air, leur donner l'occasion de parader devant ma mère, pour qu'elle y retrouve non pas son image, le miroir suffit à cela, mais bien plus, son "elle-même", car de tous ces corps elle a bien besoin sous la fine pellicule qui veut la réduire, la recouvrir, bientôt la pétrifier.

Et ma mère le sait bien, lorsqu'elle m'entraîne dans ses voyages, elle sait bien qu'il faut installer dans notre autobus virtuel tous ces corps d'elle-même (poitrine et hanches à l'ancienne, mais rien de massif, une femme petite ma mère, aux rondeurs douces, et le port très droit), pour que je ne l'oublie pas, pour que je ne devienne pas à mon tour un de ces passants à la bienveillance pressée et brutale, pour que son existence à mon regard demeure pleine et entière.

Je me suis bien baladée de par le monde, j'ai même pu être sacrément captée, mais jamais autant que dans ces voyages de la penderie, sous la cellophane.

ENCYCLOPÉDIE

Les petits pas incertains, les gros cernes sous les yeux, le regard noyé, la peau du crâne sous les pauvres mèches, les marbrures de la cuisse, la voix tremblante, je n'en veux rien savoir.

Le guide, m'en fous. La cellophane, m'en fous. Je passerai en force. J'ai du travail, je suis en retard.

A peine arrivée, je m'installe à la table, sors mes dossiers. Oreilles fermées, SOS refusés, le centre de secours "Fille" ne répond plus. Geignements ou flatteries, fiel ou miel, du pareil au même. Je bosse.

Elle voit qu'il n'y a rien à faire. Se fait discrète. Le travail, elle respecte. Respectait du moins, mère sérieuse, on pouvait tabler là-dessus, ces derniers temps ça s'est gâté, la vieillesse déborde même ce dernier bastion, notre ultime refuge. Forcer le trait donc. J'ai les sourcils en pointe de flèche, les traits du visage serrés comme une cotte de mailles.

Mais je suis en retard. "Dis-moi, tu ne voudrais pas regarder dans l'encyclopédie et me faire un petit topo sur…"

"Oh mon pauvre petit, comment veux-tu ? Ma vue, ma mémoire, ma concentration…"

Protestations menues, je lui flanque le volume sous les yeux, elle soupire.

Un temps s'écoule. Je lève les yeux. Elle est plongée dans le gros volume, absorbée profondément. Les cernes sont effacés, le masque de la vieillesse s'est décollé, on dirait presque ma mère d'autrefois. Un sourire est installé comme un chat au coin de ses yeux, ses lèvres remuent légèrement. De temps en temps, "dis donc, mais c'est intéressant, ça". Je lui demande d'expliquer, note sous sa dictée, comme son esprit est vif et clair. Mon dossier avance vite.

Nous travaillons une bonne partie de l'après-midi. De temps en temps, je lève les yeux, ou elle. Nos regards se rencontrent.

Se rencontrent, c'est tout. Ne poissent pas, ne collent pas, ne se collettent ni ne se fuient, pas d'embrouille mère-fille, manœuvres dépassées, humains en paix.

Plus tard, dans le train, je repense à ce week-end. J'ai vu ma mère heureuse, j'ai vu l'affreuse misère du délabrement reculer, pour une fois nous avons su nous séduire l'une l'autre, en douceur et intelligence. Je me dis que la vieillesse, c'est que plus personne n'a besoin de vous, plus personne ne sollicite votre cerveau. Bon, et après comment faire ? Je triture le problème en tous sens, me torture. En fin de compte, me dis que c'est un souvenir à chérir, à convoquer aux heures sombres, quand elle sera devenue une autre, quand la cellophane l'aura transformée en alien, un souvenir pour me servir de garde-fou et lui assurer justice jusque dans ces territoires de l'inhumain.

GYMNASTIQUE

On fait avec le vieux parent comme on a fait avec ses enfants : on voudrait qu'il mène une vie saine, fasse du sport, ait de bons amis, se porte bien et ne vous colle pas aux basques. On fait ce qu'on sait faire. On devient tyrannique.

Quelqu'un frappe à la porte de l'appartement.

Pas de coup de sonnette, donc ce n'est pas une personne de l'extérieur (médecin, livreur, etc.). Pas un coup énergique, donc ce n'est pas le personnel de la résidence (infirmières, réparateur, etc.).

L'une des dames ?

Agitation de ma mère, "suis-je présentable ?", imploration confuse dans laquelle passe toute son angoisse depuis son arrivée ici, je carre les épaules pour elle, ne t'en fais pas maman, je vais ouvrir.

A la porte, un petit vieillard aux yeux pleins de douceur. Monsieur B. Il a aidé ma mère lors de son installation, s'est institué son parrain auprès des autres résidents, ne manque jamais

143

de nous encourager l'une comme l'autre "elle est vaillante, votre mère, vous savez". Il conduit lui-même sa voiture, s'occupe d'une association d'aide aux handicapés, c'est encore un vivant, je suis très contente de le voir.

Aujourd'hui il entend nous faire visiter les installations de loisir de la résidence. J'ignorais qu'il en existait, m'en veux de n'avoir pas cherché à m'enquérir. Or il s'avère que, sous les étages réservés aux appartements, s'étend une vaste zone aménagée, un véritable centre culturel et sportif.

Je suis tout feu tout flamme pour ce centre culturel et sportif (ma mère me l'avait-elle caché ?). "Oh mais je ne peux pas, monsieur B., vous le savez bien", elle secoue la tête, avec un air de doux reproche. Monsieur B. opère aussitôt un repli (excuses profuses, politesses diverses), ce qui donne à ma mère le temps de s'habituer à l'extravagante idée, enfin la voici qui prend sa canne en soupirant, elle se laisse entraîner, elle n'a pas l'air si mécontente.

Nous formons le rang, en tête le frêle vieillard très affairé, à la suite ma mère, s'appuyant sur sa canne plus que nécessaire, puis moi, fermant la marche, raide comme un garde suisse. Notre petite procession s'engage dans le couloir, passe devant le bureau de l'accueil où les hôtesses nous jettent un regard étonné (étonné, inquisiteur, mais neutre : c'est possible, ici, sous la cellophane), s'engouffre gauchement dans l'ascenseur, s'enfonce dans les profondeurs.

Ténèbres. Monsieur B. cherche l'interrupteur, farfouille en murmurant des excuses. Lumière, enfin, qui révèle un couloir aux peintures passées, désert, froid. "Nous y sommes", dit-il, ravi. Première porte : la salle de jeux. Monsieur B.

indique les tables de bridge. C'est donc ici que les dames de la résidence passent leur temps. Pour ma mère, cette salle est un casino, un de ces lieux peu recommandables que fréquentent des gens pas comme nous (qui ont du temps et de l'argent à perdre), ou une sorte de distillerie des vanités, "tout pour l'apparence ici", repaire de mondanités et commérages, peut-être l'équivalent des salles communales où se tenaient les bals de campagne (la robe de taffetas empesée, la musique bruyante, les mères en rivalité feutrée). "On joue aussi au scrabble", ajoute monsieur B. avec finesse. Bon, passons.

Deuxième salle : la bibliothèque. Quelques rayonnages, livres sous clé, je parcours les titres présentés, au-dessous du niveau intellectuel de ma mère selon moi, "il y a quelques ouvrages d'histoire qui ne manquent pas d'intérêt", dit monsieur B. Bon, passons.

Le but de monsieur B., c'est la salle de gymnastique. Car, oui, ici, dans la résidence de vieillesse, il y a une salle de gymnastique.

Une avalanche dégringole de mon arbre généalogique (côté maternel), me tombe sur la tête. Ma grand-mère : "Je ne peux plus me plier, ma pauvre petite" (en patois : *é poude pu m'pliâ, ma pôptite*). Mon grand-père : "Cette maudite jambe, elle ne m'obéit plus." Venu de plus haut, m'arrive aussi sur le crâne un objet évocateur de torture moyenâgeuse : la gouttière de métal dans laquelle mon arrière-grand-père, la colonne vertébrale brisée, agonisa six mois après avoir voulu soulever une pierre trop grosse. Et les femmes dans les chemins, dans les champs, sur leurs jambes toujours, les hommes aux bras noueux (le haut du bras très blanc, le reste tanné par le soleil), muscles esclaves, mais esclaves de plus grand qu'eux, la nature. Vraiment il y a deux mondes : le monde ancien des corps captifs, soumis à l'engrenage des saisons, y trouvant leur nécessité, peut-être leur dignité, jour après jour, chaque jour de leur vie. Et le monde nouveau des corps affranchis, inutiles, suant dans des gesticulations insensées au hasard de minables impératifs. Nous sommes des animaux qui faisons "du sport" en n'importe quelle saison et à n'importe quelle heure.

Ces pensées me tombent dessus parce que je suis près de ma mère, sous son arbre généalogique, dans sa zone de captation mentale, parce que je suis "sous influence". Je me ressaisis, fais un pas de côté et redeviens moi-même, bon sang elle est bien, cette petite salle modeste, elle est parfaitement adaptée aux fragiles habitants de la résidence : il y a un espalier, quelques haltères (légers), deux ou trois élastiques, des tapis et un moniteur spécialisé qui vient deux fois par semaine. Pas de quoi ramener le ban et l'arrière-ban de la paysannerie, la tectonique des civilisations, et tout le tremblement. Laisse-toi faire, madame ma mère, pour une fois.

Monsieur B., toujours doux et souriant, l'engage vivement à se joindre au petit groupe des sportifs. "Sportifs, hein, c'est pour rire. On fait ce qu'on peut, ça distrait." Aussitôt j'enfourche ce cheval de bataille. Je pousse mon pion, enfonce le clou, tire sur la corde, insiste tant que je peux. "Regardons tout de même, puisque monsieur B. le propose."

Ma mère hoche la tête, "eh bien, si vous voulez, monsieur B.". Elle me fait un clin d'œil en coin, pas très discret, bien appuyé même et franchement irritant. J'ai toujours lu dans les mimiques de ma mère comme si le message y était écrit en gros caractères. Celui-ci veut dire : "Pauvre monsieur B., il n'y est pas du tout, mais si ça doit lui faire plaisir, nous allons lui accorder cela, n'est-ce pas."

Non, non et non, maman, je ne fais pas plaisir à monsieur B., je ne lui accorde rien et monsieur B. n'est pas ce pauvre monsieur, il a raison et toi, tu as bien tort de jouer à la plus maligne et de le prendre de haut. Se dégourdir les membres avec un professeur qualifié, ça n'a rien d'extravagant, un peu d'humilité, nom de nom ! J'aimerais bien, moi, avoir une salle de sport à ma disposition juste au-dessous de chez moi, quel luxe ! Je fais semblant de ne pas voir le clin d'œil de ma mère. Les traits de mon visage sont figés et durcis.

Souvent, à la résidence de retraite de ma mère, j'ai l'impression de porter un masque à même la peau, semblable à ces emplâtres que vous mettent les esthéticiennes.

Ma mère n'en voit rien. Elle est absorbée dans son affaire, qui est d'être polie avec son voisin, de manifester un intérêt bienveillant tout en gardant ses distances, de montrer sans le montrer qu'elle est au-delà de ces sottises (la gymnastique, l'espalier, les haltères et tutti quanti). Grande dame avec un inférieur certes de bonne volonté mais n'ayant pas ses lumières et se laissant aisément abuser. Un jeu tout en nuances dans lequel elle croit m'enrôler, c'est normal, je suis sa fille, je partage ses lumières. Mais je ne partage rien du tout, j'enrage. Je me positionne derrière les deux vieillards, à un ou deux mètres de distance, et m'évertue à ne pas être là. Posture difficile à tenir, car il se passe des choses proprement incroyables.

Monsieur B. s'est débarrassé de son vieux cardigan, a relevé la manche de sa vieille chemise (il est veuf), et voici maintenant qu'avec son bras ainsi dégagé (pas si fluet, le bras, on se fait des idées sur les corps des vieillards) il tire sur l'élastique rouge qu'il a passé dans l'une des barres de l'espalier. "Une, deux, une, deux", fait-il. "Je ne pourrais pas faire ça, monsieur B.", dit ma mère. "Mais si, mais si, vous êtes jeune vous."

Jeune ? Oui, non. Ces derniers temps, à mon club de sport à moi, pendant les cours de stretch, ma stupeur de constater le raidissement de mon dos. J'étais si souple, pouvais si facilement en grand écart poser ma tête sur le sol entre mes jambes, je regardais par en dessous des filles trois fois plus jeunes rester coincées à mi-chemin, je prenais ma supériorité pour acquise, récompense secrète de mes mérites, on se croit parfois la cible désignée d'un destin approbateur, c'est un sentiment trop vague, trop enfoui pour qu'on aille l'interroger, on se laisse faire et tant que ça va, ça va. Pour moi, il est clair que ça ne va plus aussi bien, la bienveillance du destin s'est érodée, l'arthrose en a profité.

"Oh mais je suis plus âgée que vous, monsieur B.", dit ma mère. (La réflexion sur l'âge s'adressait à elle. Naturellement je me suis encore mise à sa place !)

Monsieur B. proteste. Ils se font part de leur date de naissance respective. Monsieur B. n'est pas convaincu. Et j'approuve. Ma petite mère, qui n'a jamais fait de gymnastique, jamais été chez l'esthéticienne, paraît plus jeune que les autres dames de la résidence. Ses robes simplettes, ses ongles courts sans vernis, son visage sans maquillage, sa coiffure peu apprêtée, ses traits si mobiles : une femme telle que la nature l'a faite, inchangée depuis sa jeunesse, pour peu qu'on ait le regard qui convient, le regard des initiés.

Depuis peu, je suis sujette à des bouffées d'hostilité dans la rue : tous ces corps à l'agressive et stupide jeunesse, avec leur esprit mal dégrossi. Ils ne savent pas lire le livre de la vie, ils ne savent rien.

Bon alors, qui est le plus jeune, du vieux monsieur qui tire sur l'élastique rouge de son bras qui déjà se fatigue, et de la vieille dame qui assure qu'elle n'en pourrait faire autant ? "Les dames vieillissent moins vite que nous", dit monsieur B. "Ah mais vous n'avez pas élevé d'enfants, vous", dit ma mère. Ils me jettent un coup d'œil, tous deux, à moi l'enfant, cause des fatigues maternelles, je sautille sur place en suçant ma tétine, honteuse et confuse, bien à tort, car ils n'en sont pas du tout à moi, les deux vieillards, et reprenant ma taille normale et un peu d'objectivité, je m'aperçois qu'ils sont tout simplement en train de se faire du charme, du genre de charme que se font les vieilles gens, mon esprit égaré court à toute vitesse, jusqu'à quel âge peut-on se remarier, ma mère qui n'a eu qu'un homme dans toute sa vie pourrait-elle en avoir un second en ses dernières années, que sais-je d'elle, elle a toujours préféré la compagnie des hommes, mais c'est normal pour sa génération (les femmes maintenues dans l'infériorité, aux hommes tout ce qu'elle admirait, la franchise, la fermeté, l'esprit scientifique, etc.), est-elle une séductrice, oui elle a toujours su séduire, clavier étendu que celui de sa séduction, comprenant toutes sortes de menues ruses, mais pas le sexe, pas le sexe, ma mère si prude et moralisante, papa pardonne-moi, mais comme ce serait bien si ma mère avait des amours. A monsieur B. je confie ma mère les yeux fermés, quel soulagement, quelle liberté pour moi, des années j'ai rêvé que ma mère ait, non, ait eu des amants, pour partager des confidences avec elle, pour avoir des conseils, une expérience toute faite qui me fasse franchir avec vivacité ces écueils redoutables qu'ont été les hommes pour moi, je rêve, je délire, pour un peu (si je n'avais une jupe, des bas, tout cet appareillage féminin) je me pendrais à l'espalier, me jetterais sur le tapis de sol, me stretcherais avec vigueur, me lancerais dans une étourdissante série d'abdominaux, mais nous sommes en train de sortir, monsieur B. referme la porte, nous sommes dans le couloir, aux teintes passées, désert, froid, je m'aperçois que les cernes sous les yeux de ma mère sont violacés, ses petits cheveux blancs se sont collés en mèches, laissant voir la peau du crâne, la chair des joues semble avalée de l'intérieur. "Je vous ai fatiguée", dit monsieur B., "je vais aller me reposer, merci beaucoup, monsieur B.", dit ma mère, lui aussi a l'air exténué, il a remis son cardigan à l'envers, "bah, tout ça, ajoute-t-il, c'est pour la frime, il faut bien justifier les charges que nous payons", ma mère tremblote sur ses jambes, je la ramène dans sa chambre, l'aide à se défaire de sa canne, de son lainage, à s'étendre.

Elle a les yeux clos, j'entends sa respiration oppressée. Je ne sais si nous pourrons descendre au restaurant aujourd'hui. Je suis si fatiguée aussi que je vais me coucher sur le canapé. Nous dormons, toutes les deux.

MIROIR

Une curieuse rivalité nous oppose, ma mère et moi.

"Je suis vieille", dit-elle. "Moi aussi", dis-je. Elle hausse les épaules, "allons donc !". Je suis en colère. Bientôt nous nous jouons une version nouvelle du conte ancien. "Miroir, dis-moi qui est la plus vieille en ce royaume, ma mère ou moi ?"

C'est elle, bien sûr. Cependant une voix en moi crie à l'erreur, à l'injustice. Quelque part au bout de longs corridors, en haut de quelque escalier écarté, dans l'une des tours de ce château que nous habitons ensemble depuis les premiers jours de mon enfance, doit se trouver une cour de justice qui pourrait entendre ma plainte.

"Quelle est votre plainte, mon enfant ?"

Elle est si ancienne, si confuse, comment l'exprimerai-je ? Je suis seule dans une salle immense. Au fond, dans les ténèbres d'une haute estrade, se tient la cour de justice. Les voûtes de la salle ne cessent de s'élever, je diminue, je suis très petite, un point infime sur un dallage labyrinthique.

"Elle est devant, toujours plus vieille que moi, elle passe toutes les portes, connaît tout

151

avant moi, ses douleurs précèdent les miennes, là où je souffre ses larmes ont déjà coulé, mon corps à chaque étape retrouve la trace du sien…"

Mes sanglots roulent sur le sol, se multiplient à travers les motifs complexes, se répercutent de tous côtés, ma plainte s'élève forte et sonore, je suis entendue.

"N'est-ce pas normal, mon enfant ?"

Je gémis, je geins comme le petit enfant qu'on me permet d'être.

"Lorsque je trébuche, elle se retourne et me dit : «Là où j'en suis, je trébuche aussi et c'est plus dur.» Elle me dit : «Etre une femme, ah tu verras ce que c'est.» Je l'ai déjà vu, je le vois. Mais sa peine est double de la mienne puisqu'elle en est à la seconde étape quand je n'en suis qu'à la première. Toujours elle gagne sur moi, sa vieillesse est plus vieille, domine la mienne, ma vieillesse à moi ne peut exister, je suis le soutien de son déclin, mais elle est le miroir du mien et il me faut porter à la fois mon vieillissement présent et mon vieillissement futur, ainsi, malgré les apparences, quand sa peine est double, la mienne est quadruple. Oh comme l'injustice est grande, comme j'ai envie de crier !"

Je me roule sur le sol, je trépigne, je pousse de gros sanglots d'enfant.

"Que voudrais-tu ?" demande le juge qui m'entend là-haut dans les ténèbres de mon esprit.

Je voudrais que ma mère se tourne vers moi et qu'elle m'écoute. Je voudrais que son vieillissement lui soit léger, qu'il ne lui serve qu'à compatir au mien et l'adoucir. "Moi je suis déjà vieille, cela ne fait rien, mais toi, fais attention, ma chérie, oui je vois les changements de ton corps de femme, ne t'en fais pas, regarde, moi qui te précède d'une génération, ça ne va pas si mal…"

Je voudrais que ma mère soit inaltérable, que je puisse à tout instant courir vers elle, lui dire : "J'ai treize ans, j'ai mal au ventre, ma poitrine pèse, je ne peux plus courir comme un chien fou, ne peux plus sortir sans craindre les regards, je ne comprends pas ce que mon corps veut de moi, ne sais pas comment sont les garçons, quel amour ils me donneront." "J'ai trente ans, les coins de mes yeux se rident même quand ils ne sourient pas, mon corps ne m'appartient plus, la maternité dévore mon temps, les hommes sont des étrangers…" "J'ai cinquante ans, je n'aurai plus d'autres enfants, ma taille s'est épaissie, je lutte sans cesse contre mon corps, les hommes ne sont pas mes amis…" "J'ai soixante ans, les enfants ne me rendent pas mon regard, celui des hommes m'effleure sans me voir, je suis le troisième genre, le genre sans nom, sans sexe, j'ai peur…" "J'ai quatre-vingts ans, je suis un bébé sans mère, très laid et mal formé, personne ne fait risette sur mon berceau, je suis un monstre dont la vie veut avorter…"

Nul ne me répond dans cette grande salle imaginaire. Mais j'ai réussi à formuler ma plainte et je suis un peu réconfortée.

Je voudrais que ma mère vieillisse sans vieillir, qu'elle vieillisse comme dans les magazines, ou les images d'Epinal, ou les publicités des compagnies d'assurances. Que sa vieillesse ne soit qu'une autre modalité de son être, différente mais de même puissance, que son arthrose n'empêche pas les escarpins (on accorde des talons plus bas), que son hypertension n'interdise pas la bonne chère (on accepte les régimes légers), que ses vertiges soient compatibles avec les croisières pour retraités (on est tout disposé à quelques aménagements), que son esprit (un peu ralenti, on tolère) continue de traiter tous les problèmes emmerdants comme le font les adultes, déclarations d'impôts, etc., et que sa mémoire (à peine défaillante) continue de veiller sur les archives familiales et le musée de notre passé.

Que ses maux en général ne soient qu'une variante des bobos ordinaires (comme les douleurs de ventre des jeunes filles, les ligaments étirés des sportifs), petits ratés ordinaires, validés par notre société égalitaire et tolérante, et pour lesquels des laboratoires bienveillants ont prévu les remèdes qu'une presse attentive se hâte de porter à notre connaissance.

Je suis prête à entrer dans le fatras des belles images. Pas de tabous d'un bout à l'autre de la chaîne des âges : bébés informés publiquement des meilleures couches-culottes, jeunes filles averties des meilleurs tampons pour les règles, et le quatrième âge des meilleures protections contre l'incontinence, tous égaux, peuple des vieux ni plus ni moins élu que les autres, ayants droit de la grande chouchouterie commerciale, fauteuils roulants et planches à roulettes au même rayon des grandes surfaces, aux mêmes pages des journaux publicitaires, pas de quoi embêter son entourage... Vieillards, souriez, vous passez à la télé !

Je ne veux pas que ma mère vieillisse. Ma mère ne veut pas que sa fille vieillisse. Elle doit rester solide au poste pour me soutenir, je dois rester solide au poste pour la soutenir.

Nos désirs se heurtent frontalement, béliers têtus, quasiment immobilisés par la violence du choc.

Nous pouvons aller jusqu'à des extrémités absurdes.

C'est très simple : je reproche à ma mère de m'avoir donné la vie sans m'avoir donné tous les dons, d'être à la fois ma bonne et ma mauvaise fée. De même qu'à chaque joie je l'appelle aussitôt, elle en premier, à chaque échec je me tourne vers elle avec colère. Je lui en veux de ne pas m'avoir faite parfaite et immortelle. Maintenant que la vieillesse la traque, elle ne supporte pas mes imperfections et ma mortalité.

Je n'ai pas eu ces exigences avec mon père. Il était en dehors.

"Il n'y a pas assez de lumière dans cette pièce", dis-je. "Oh ?" fait-elle avec un étonnement qui m'enrage. "Je ne peux pas lire comme ça, ni travailler", dis-je. Il faut qu'elle sache que j'ai de mauvais yeux, et des migraines (qui me viennent d'elle), et beaucoup de travail, et pas assez de temps pour écrire, écrire j'y ai droit quand même ! "Je voulais que tu sois pharmacienne, dit-elle encore une fois, avec rancune (ou pitié), tu aurais pris un potard, et tu aurais eu tout le temps que tu voulais." La pharmacienne et le potard, une véritable fable à l'usage des gamines déraisonnables.

"Tu es jeune, toi", dit-elle à tout instant. Ce n'est pas vrai, je suis plus vieille qu'elle, puisque j'ai encore un métier à assurer et une vieille mère à porter sur mes épaules.

Dans le miroir indéfiniment, nous nous reflé-
tons l'une l'autre, et ses profondeurs résonnent
de nos appels au secours.

ROBE

Le déclenchement de l'opération "robe" s'est effectué avec succès, il est neuf heures moins cinq, nous attendons sur le trottoir l'ouverture du magasin.

Celle qui nous accueille n'est pas la vendeuse habituelle, mais une femme beaucoup plus jeune. Est-ce bon pour nous ?

Les tout premiers instants seront décisifs. Je guette la réaction de ma mère, les signes qui me diront si le ciel aujourd'hui est en notre faveur ou si notre aventure est vouée d'avance à l'échec.

"Vous n'avez pas de chance, dit-elle à la vendeuse, c'est que je suis difficile." "Mais non, mais non", répond l'autre avec entrain. "Oh mais si", insiste ma mère.

J'entends : c'est ma vieillesse qui en est la cause, et l'accident qui m'a brisé la jambe, et la disparition de mon mari, et la longue suite des morts de ma famille, et la ferme immémoriale qui se meurt, et ma solitude, et cette résidence de retraite où je me trouve si incroyablement fourrée. J'entends : il ne peut y avoir de vêtements ici qui me conviennent, car ma situation ne me convient pas.

Si cette jeune femme perçoit tout cela dans la voix de ma mère, elle se détournera de nous. Vous me présentez une impossibilité, dira-t-elle, fichez le camp…

"Nous avons sûrement ce qu'il vous faut, ne vous inquiétez pas", dit-elle. "Vous êtes bien jeune", dit ma mère, soupçonneuse mais un brin provocatrice. "Mais j'ai l'habitude", rétorque l'autre, pas démontée.

Parfaite, la jeune vendeuse.

J'aime, je révère la compétence profession-nelle. Je voudrais décerner à cette jeune femme la palme d'or, la Légion d'honneur, la croix de guerre. Les phrases stéréotypées (celles qu'on apprend dans les écoles de commerce ?) se suivent en parfaite enfilade, avec juste ce qu'il faut de sourire pour huiler les rouages. Depuis peu, j'ai de brusques accès de sensiblerie. Pour un rien les larmes me viennent aux yeux, mes lèvres tremblotent, je ressemble à ces gens que la télévision va chercher dans leur recoin de misère quotidienne et qui, tout à trac, répandent leur gros sac d'émotion sur l'écran. Quiconque me soulage de l'étrange confusion où me tient la vieillesse de ma mère peut devenir bénéfi-ciaire de mes largesses, recevoir mes médailles, être oint de ma bénévolence. Sans en savoir rien, bien sûr, sans en rien voir que ce tremble-ment de mes lèvres, qui me donne sans doute l'air aussi bébête que les interviewés de la télé-vision.

Ce préambule permet à ma mère de se pré-parer, de tâter le terrain, d'évacuer ses inquié-tudes. N'est-ce pas le même que celui qui, à la campagne, mené sans hâte et dans les formes, débute toute conversation, toute rencontre ? J'en comprends l'intérêt, maintenant.

Mais, pas plus aujourd'hui qu'hier, je ne sais comment tenir ma place dans cet échange rituel. Je suis là, les bras ballants, comme une adolescente gauche.

"Ma fille", dit ma mère, avec la fierté légitime d'un parent présentant sa progéniture. La vendeuse sourit (elle pourrait être ma fille).

Bon, comment dois-je interpréter ce sourire ?

S'il est complice, c'est qu'elle me met dans la même catégorie qu'elle-même, celle des jeunes confrontés aux lubies des vieux. S'il est apitoyé, c'est qu'elle me met dans la même catégorie que ma mère, habitante de la *terra incognita*, juste un peu moins vieille, mais quelle différence à ce stade ? Et s'il est un peu froid, c'est que je suis dans la catégorie intermédiaire, celle des dames qui ne s'habillent pas chez elle, pas encore.

Souvent, quand je suis aux côtés de ma mère, je ne sais plus si je suis âgée, ou jeune, ou au milieu. Les catégories qui correspondent aux sections de l'échelle des âges ne cessent de coulisser les unes sur les autres. Il en résulte un trouble de l'esprit, semblable dans le domaine de la vue à celui que cause au début le port de lunettes dites progressives.

Stop. Arrête de divaguer, il faut trouver la robe, c'est l'unique but.

Je m'approche de la rangée serrée des vêtements le long du mur, commence à en passer la revue. Ces gestes. Main droite pour dégager, main gauche pour déployer : couleur, forme et matière. Au suivant. Ces gestes que mon frère ne connaît pas, qu'aucun des hommes de ma famille ne connaîtra. Je suis née pour les accomplir, des mécanismes ont été disposés dans mes membres pour me les faire accomplir, ils s'ébranlent à intervalles réguliers, mon esprit s'éteint, je fais les gestes.

A l'échange qui se poursuit dans le magasin, je ne prête d'abord qu'une oreille distraite, attentive seulement à la tonalité générale : bonne ou pas bonne, cela seul m'intéresse dans cette perspective d'efficacité où je nous crois ce matin. Mais il se passe bien autre chose.

Ma mère est en train d'enjôler la vendeuse.

Ce qu'elle dit, je n'ai pas envie de l'entendre (les enfants n'aiment pas que leurs parents radotent en leur présence), je voudrais disparaître entre les rangées de cintres. Mais la vendeuse marche. Elles ont dépassé le niveau de la conversation d'accueil, elles en sont à la conversation de confidence. Roucoulements, exclamations, assurances, confirmations, surconfirmations, tout le registre est là, de ce qui se passe entre deux personnes qui ont les mêmes vues sur le monde.

Où ma mère trouve-t-elle cette force ? Ce désir ?

J'abandonne ma rangée de cintres et mes gestes inutiles, et je la regarde. Une petite vieille banale, appuyée sur sa canne.

Et une présence si puissante. J'en suis étourdie.

Oh ma mère, te faut-il encore une fois éprouver la puissance de ton règne ? Te faut-il un nouveau sujet, même éphémère, dans ton royaume ? Ton règne fléchit, ton royaume s'étrécit, ta propre fille ne s'incline qu'avec réticence, ne te donne qu'une allégeance récalcitrante. Tu veux si fort être dans la vie, là où se font les tractations entre les humains.

"Quand on est vieux, on n'a plus d'égaux", m'a-t-elle dit. Le vieillard doit s'habituer à ce qu'on lui parle de haut, ou avec trop de révérence, autre manière de l'écarter. S'il veut rester à égalité, il lui faut ruser.

Ma mère est-elle en train de ruser ?

En ce cas, je me suis salement trompée. La vendeuse n'est pas cette aimable créature que j'ai, en esprit, si abondamment décorée et serrée dans mes bras reconnaissants. C'est une ennemie, qu'il faut circonvenir.

Ma mère est toute rose. Ou bien est-elle trop rouge ? Une grosse veine saille à sa tempe. Elle parle trop fort. Sa voix est essoufflée, son débit rapide.

Depuis des semaines, elle pense à l'achat de cette robe, elle s'en fait une montagne, c'est une expédition. Il y a eu déjà plusieurs tentatives, qui n'ont pu aboutir. Ce qui se passe en ce moment, ce n'est pas un badinage avec la vendeuse, c'est un combat pitoyable, dans lequel elle jette toutes ses ressources de la journée, et ces ressources sont maigres et sa journée si courte. Ce matin, elle s'est levée tôt, tenait à peine debout, jusqu'au dernier moment ne savait si elle pourrait sortir.

Tout cet immense effort pour que cette vendeuse lui donne sa considération, l'accepte comme cliente valable, pour qu'elle-même, ma mère, puisse atteindre son Graal, la robe qui sera son armure et son viatique dans la résidence de retraite, sur le territoire de la vieillesse.

Je redoute une commotion cérébrale. Elle en fait trop, elle est trop rouge. Je lance d'un ton auquel je m'efforce de donner un tranchant

161

d'autorité : "Ma mère souhaite essayer une robe."

Message reçu. La vendeuse arrête net la phase numéro un de sa prestation, saute illico à la phase numéro deux. "Bien sûr, madame."

Mon intention est même de la faire sauter directement à la phase trois. Ne pas lui donner le loisir de chanter les louanges de sa sélection d'articles, mais dresser aussitôt devant elle le portrait-robot de l'objet recherché. "Coupe droite, motifs discrets, pas trop chaude, pas trop légère, tissu lavable…" Que ça aille vite, bon sang, que je puisse ramener ma mère chez elle et la faire s'étendre sur son lit et lui faire boire de l'eau sucrée et appeler l'infirmière. Ne voyez-vous pas, mademoiselle, la grosse veine bleue à sa tempe ? Trouvez-lui un siège, faites-la asseoir, sortez-moi le vêtement qui convient, fourrez-le dans un sac, prenez votre chèque et *adios*.

Tu vas voir, ma petite mère, je t'aide, je te protège, je vole à ton secours. Dans cinq minutes tu auras ta robe et nous serons sorties d'ici.

Mauvaise pioche.

Dans la série mère-fille, ce n'était pas mère faible/fille forte qu'il fallait tirer.

Acheter une robe en cinq minutes ? Ma mère ne l'entend pas de cette oreille. Pas du tout. Elle reprend point à point chaque élément de mon portrait-robot.

Robe droite. Oh, mais elle peut ne pas être si droite, vous savez. Motifs discrets. Enfin, cela dépend de ce que l'on entend par discrets… Et ainsi de suite.

Mon portrait-robot, retouché avec vigueur par ma mère, induit plus en erreur qu'il n'aide. Tant et si bien qu'au bout d'un certain temps, la vendeuse n'y comprend plus rien. Il faut refaire à l'envers tout le chemin déjà parcouru, procédant cette fois par élimination : pas de plis, pas de gros lainage, pas de grandes rayures, pas de soie, etc.

Soudain je comprends que tout est de ma faute. Je suis l'élément perturbateur. Je ne dis plus rien, me contentant d'approuver d'un hochement de tête les déclarations de ma mère. Bientôt le tas insensé de robes jetées sur les fauteuils diminue. Il ne reste plus qu'à essayer ce qui reste, c'est-à-dire deux modèles presque semblables. J'aide ma mère à lever les bras, à boutonner, déboutonner.

Maintenant elle est dans la phase cruciale de son choix. Le travail est âpre, douloureux. Le temps passe. Nous sommes dans un lieu hors du monde, il me semble que nous cheminons depuis des heures, l'air fait comme une nappe inerte, j'en perds le sens, ma tête bourdonne, mon regard se brouille, et lorsqu'il me semble avoir atteint le bord du néant, voici que nous sommes dehors.

Il fait jour, les voitures circulent, la robe a été achetée.

"Tu es bien sûre qu'elle a marqué l'ourlet à faire ?"

"Tu as bien donné l'adresse pour la livraison ?"

Plus tard :

"Tu ne crois pas que j'ai fait une bêtise ?"

Plus tard :

"Je ne la mettrai pas, c'est sûr."

Je suis à demi morte et elle continue, bourdonnant autour de son achat, inlassablement. Et je nous en veux, à elle, à moi, de n'avoir pas su faire de cette sortie (la grande sortie de ma mère) une apothéose même modeste, une fête privée pour nous deux.

Qu'est-ce que c'est, ce vêtement, en fin de compte ? C'est son corps, le substitut de son corps. Le corps se défait, ne peut plus tenir sa place dans le monde des vivants, ne peut plus mener le combat que mènent les vivants. La robe doit contenir le désastre de ce corps, mais ce n'est qu'un morceau de tissu, un leurre, qui ne peut que tromper, si cruellement décevoir.

Cette robe-ci sera semblable à toutes les autres qui sont dans sa penderie. Réduite au plus simple, sans fioriture. Cet objet d'une quête si acharnée, si épuisante, cause d'un souci si prenant, c'est la même que toutes les autres.

Le soir, mon frère ou mon fils appelle. "On a acheté une robe", dis-je. "Très bien", dit mon frère ou mon fils, et passe à autre chose.

Juste une robe, qui pourrait comprendre ?

C'est ainsi sous la cellophane. Ce sera bien pire, sans doute.

Le lendemain, ma mère (elle s'est reposée) me complimente avec effusion "il n'y a que toi qui peux faire ça", et je suis absurdement fière.

PHRASES COURTES

Je suis enfant, en train d'écrire ma rédaction. Ma mère est à côté de moi, son souffle suit le mouvement de ma main, "fais des phrases courtes", dit-elle. En fond de gorge un halètement qui se bloque à chaque rature, se relâche lorsque l'obstacle est passé "forme tes lettres, ne serre pas tes mots"...

Elle veut que mon écriture soit lisible, elle rêve de clarté. Dans ma famille, les femmes écrivent. Les hommes aussi, mais d'une façon plus conventionnelle. Mon grand-père fermier, qui serait devenu instituteur si la mort soudaine de son père (la grosse pierre, la gouttière de métal) alors qu'il n'avait que seize ans ne l'avait contraint de prendre la relève, écrit sans fautes, dans une perfection anonyme. Mon père entretient tout un courrier : administratif avec ses supérieurs et subalternes, amical mais convenu avec ses anciens élèves, sentimental et même fleur bleue avec nous sa famille.

Ce sont les femmes qui ont le don du mot et de la phrase.

Ma grand-mère de la ferme envoie deux lettres par semaine (notre ville est à cinq kilomètres du village). De l'écriture brute, sans fioriture, mais la vie du village y circule toute crue, expressions en patois et scènes croquées sur le vif. Des lèvres au papier directement. Une vraie conteuse. Ma mère est dans cette lignée. Elle fait aussi ses deux lettres par semaine à ma grand-mère, plus celles qu'elle m'envoie plus tard lorsque je suis étudiante au loin (cent kilomètres). Pas de patois, mais une foule d'expressions imagées héritées du fonds paysan, le sens de la formule et de l'anecdote. A l'oral, elle est encore meilleure, car elle ajoute aux mots une gestuelle vigoureuse.

Je n'écris pas ainsi. Je fais trop compliqué, dit-elle. Je m'embrouille la plume, mon écriture fait des pattes de mouche. C'est que je cherche les courants secrets, souterrains, qui portent la réalité de la surface. Cela inquiète ma mère, qui pense à mes examens. Elle a des ambitions universitaires pour moi, mais peut-être inconsciemment son ambition reste-t-elle celle d'une paysanne : le concours des postes, de secrétaire de mairie, au mieux professeur ou proviseur de lycée... dans la même ville ou une ville proche.

Mes bons résultats en rédaction la troublent. Tout de même, ne pas aller trop loin dans cette direction, qu'elle pressent dangereuse. Elle voudrait que je fasse des "sciences", donc que je vise à décrire sobrement et dans les formes le système sanguin, la reproduction des crapauds, les subtilités du triangle, les forces de levier ou les séquences chimiques.

Des phrases courtes, une écriture bien formée, de la clarté.

Parfois, j'entends son souffle, les à-coups de sa respiration, le feulement de gorge, par-dessus mon épaule. Ces derniers temps, je veux dire, pendant que j'écris ces pages.

Mes premiers livres l'ont désespérée. Entre quelles mains perverses étais-je tombée (ces gens malins de Paris), sur quels chemins incertains voulais-je m'aventurer ? Et cet exhibitionnisme de l'écrivain... tout le contraire de la réserve du paysan ou du fonctionnaire, de ce "garder la face" qu'elle avait reconnu dans la mentalité chinoise.

J'avais cru l'épater, je lui avais fait honte. Elle a eu des migraines violentes, une défiance sourde s'est installée entre nous.

Mais ce n'est pas si simple. Au fil du temps, pour la distraire, je lui ai apporté des romans, ceux dont je pensais qu'ils lui plairaient, romans régionalistes (notre région) : "Peuh, c'est du frelaté, ce n'était pas comme ça..." Des romans populaires, colportant sous une surface lisse la morale la plus conventionnelle. Son dédain : "Et ça a du succès, ça !..." Plus tard, j'ai cru trouver exactement ce qui lui conviendrait : des textes de bonne qualité, brefs, précis, phrases courtes, décrivant la réalité ordinaire : "Ah bien, ça ne décolle guère, tout ça..."

Et, récurrentes, deux phrases en pendant l'une de l'autre, contradictoires : "Tu fais bien mieux que ça, toi...", et : "Si seulement tu faisais plus simple..."

Dans la première phrase, une admiration presque à contrecœur, douloureuse, effrayée même. Variantes : "Toi, tu es un vrai écrivain..." "Tu mériterais le Goncourt..." Dans la deuxième phrase, la contrariété ancienne de la mère devant la voie choisie par son enfant, le désir malgré tout que ça marche pour elle, l'indignation qu'elle ne soit pas mieux reconnue. Variantes : "Tous ces livres que je t'ai achetés, petite, si j'avais su…" "Ça ne te suffit donc pas un métier, une famille ?" "Tu as toujours voulu la lune…" "Les gens, il faut leur donner du tout cuit, tu sais…"

De l'apitoiement : "Tu es bien seule, mon pauvre petit, ce n'est pas notre milieu, tout ça…" "Tu t'épuises, je le vois bien…" "Il t'aurait fallu un mari riche…" Et encore la pharmacienne et le potard, ce scénario que ma mère réécrit souvent pour moi dans ses rêves.

Entre-temps, le chèque impromptu "pour t'encourager, mon petit", ou bien, lorsque je lui remets un exemplaire de mon dernier livre, le billet glissé dans une enveloppe, "ta petite récompense, comme autrefois", dit-elle riant à demi, c'est-à-dire comme autrefois pour mes bonnes notes à l'école.

Et le reproche. Lancinant, multiforme, aussitôt voilé par l'apitoiement et noyé dans l'amour. Je lui donne tant de soucis, à ma mère, et elle m'aime tant. Elle ne me laisse pas en repos.

Elle a raison, elle voit clair, je me fourvoie, je trahis, je perds ma vie, je gaspille mes sous et les siens, je m'épuise, je jappe à la lune… Elle a tort, ses conseils ne me valent rien, nous sommes à contre-courant, ses vérités sont mes erreurs, la boussole qui marque le nord pour elle est fausse pour moi. Alors je fuis, de tous côtés, à l'étranger, sur la lune, dans les amours impossibles…

Je fuis mais ne romps pas, fidèlement je signale mes coordonnées à la tour de contrôle. A peine posée la valise je téléphone mon arrivée, une bonne nouvelle je téléphone, une mauvaise nouvelle je téléphone, je remercie pour le chèque, le billet, le rappel des dates limites (impôts, déclarations, vignettes, elle sait que j'ai la tête ailleurs, que je vais oublier... plus tard ce sera moi qui lancerai ces rappels). J'accuse réception, confirme, assure et rassure, fais le feed-back et le follow-up, reçois et réponds cinq sur cinq, mordille l'appât même si je vois l'hameçon, me hisse en haut de mon phare pour balancer le signal, présente, présente, message reçu...

Elle m'a mise dans l'ordre des planètes, sur les orbites célestes, et la gravité est de son côté. Si séduire veut dire tirer vers soi (une étymologie que je me fabrique), elle me séduit inexorablement, je ne sais comment elle fait, sa voix est le chant du cosmos, elle est la seule réalité.

Je suis une fille rebelle et je suis une fille soumise. J'ai confiance en moi parce qu'une mère a veillé sur moi, je n'ai aucune confiance en moi parce que je suis veillée par une mère. Je suis solide parce qu'elle tient à moi, je suis friable parce que je tiens à elle.

Maintenant qu'elle n'est plus là, mes lignes de fuite s'embrouillent. Elle ne me manque pas, j'ai le cœur sec, ne pleure pas, je suis libre et légère, je suis un atome détaché et tout se vaut dans l'univers.

Comment écrire sur elle ? Je cherche de l'aide, des modèles. Pour l'heure, j'en ai deux sous la main. Le livre d'une grande ancienne et celui d'une contemporaine. Impossible, trop sec, trop clinique, une idée trop assurée de la réalité, et où sont les courants souterrains, la vapeur continuelle que dégagent les mots, les éclairs, cette réalité plus vaste et les tâtonnements pour la saisir... ? Très bien, ces livres, mais pas pour moi.

Mon esprit vadrouille. Je me demande si les autres écrivains ont eu aussi des chèques

"pour les encourager" et "des petites récom-
penses" parce qu'ils ont bien travaillé.

Je me demande s'ils ont eu des conseils de
leur mère.

"Des petites phrases courtes…"

MANDOLINE

Il n'y avait pas de musique chez nous.

Sur le buffet de la ferme, un poste à l'ancienne, qui crachotait. Seul mon grand-père l'écoutait. Debout, tournant les boutons, il cherchait le point instable où la voix franchirait furtivement (comme par des lacets tortueux, au milieu d'intempéries qui en changeaient sans cesse l'emplacement) quelque col soudain dégagé au travers des parois qui la séparaient de notre village. Il essayait de capter les mouvements qui agitaient le monde, au-delà de l'horizon que fermaient les collines avec leurs forêts de sapins et de châtaigniers, si loin ce monde qu'il semblait relever plutôt des livres d'histoire des maîtres d'école ou peut-être même du ciel énigmatique et souverain où les paysans guettent non pas une trace de la divinité mais les pluies, orages, sécheresses qui affecteraient leurs récoltes. Mais mon grand-père, appelé de la Première Guerre mondiale, avait voyagé et il savait que si lointaine et étrangère que paraisse la voix qui éructait dans son poste, elle pouvait très bien annoncer des commotions qui se propageraient jusque dans notre village. Pour les grands-mères et arrière-grands-mères, ce n'était que du bruit.

Pas de musique, pas de chansons. Et celles des bals ? Elles restaient encloses dans les salles communales, permises dans ces moments particuliers de fête, déplacées et même blâmables ailleurs. On ne les transportait pas dans les champs, ni dans l'écurie, ni dans les étables, ni dans le potager où ma grand-mère passait tant de temps, pliée en deux sur ses légumes, gémissant des douleurs de son vieux dos et parfaitement heureuse.

La musique, les chansons : même utilité que la robe de taffetas jaune, à aérer deux ou trois fois par an, puis à remballer dans sa boîte, le coffre du grenier pour la robe et les murs de la salle communale pour la musique et les chansons.

La musique était celle des feuillages du grand tilleul de la cour, des buissons de noisetiers sur le chemin, des chênes dans les champs, remués par le vent. C'était le meuglement sourd des vaches à l'heure du retour des troupeaux, le cri isolé des chiens dans la nuit (nuit profonde, sans réverbères), la trompette matinale du coq, le caquètement des poules égrené tout au long du jour, la basse du ronflement des tracteurs, le zonzonnement des mouches dans les cuisines, le pianotement de la pluie sur les toits d'ardoises, le grand emportement des orages, le coup d'archet des éclairs, l'ondoiement lent de l'été, les craquements des roues et sabots sur les chemins glacés de l'hiver, et les voix humaines, phrases en refrain coulées sans surprise dans la continuité sonore des saisons.

Pour ma mère, pas d'autre musique que celle de la nature, toute autre musique artificielle et dérangeante, pire peut-être, hostile, déplaisante, liée aux bals de campagne, qu'elle n'avait pas aimés, les filles en exposition sur leur banc dans leur robe ridicule, une sexualité épaisse, la vache menée au taureau.

Et ensuite attrapée, la fille, livrée à la ferme pour toujours. La musique, futilité dangereuse, un étourdissement de la raison et pour finir une punition sans fin. Ou pour les hommes, l'ivrognerie, si redoutée dans les campagnes, la pente infernale qui mène à la désagrégation sociale, la perte des terres et de la respectabilité, la honte terminale.

Peut-être. De toute façon, il n'y avait pas de disques, pas de platine ni de chaîne hi-fi, je n'ai jamais entendu chanter au village, plus tard les élèves de mon père, qui avaient nécessairement un professeur de musique, ont donné un concert à une fête des écoles, c'était un chant russe (je crois), Stenka en pleurs à la proue de sa barque, jetant sa fiancée aux flots mouvants, ensuite il y a eu des disques, les symphonies de Beethoven, que j'écoutais dans ma chambre sur mon Teppaz, les jouant et rejouant en boucle, perdue dans une houle sonore comme dans une hallucination, incapable de distinguer un accord d'un autre, ignare, droguée. Ma mère finissait par m'appeler, vaguement courroucée.

Souvent, il m'arrive de lire de cette même façon, m'enfonçant dans les vagues des phrases, sans pensée, entraînée dans une matière onduleuse, noyée, comme la fiancée de Stenka.

Récemment. Ce piano, dans le vestibule de la belle maison où ma mère était invitée, la seule maison pour laquelle désormais elle quittait la résidence de retraite, il devait lui faire peur, piano à queue d'un noir luisant, posté à l'entrée comme un gardien, signalant que là commençaient les terres où elle n'avait plus domination entière, où vivait une autre reine, plus jeune, avec laquelle il lui faudrait composer, devant laquelle elle devrait s'incliner, ma mère n'avait pas la moindre mélodie, pas une chanson, pas la plus petite note, pour l'accompagner dans cette maison où la musique était partout, pour lui en rendre l'entrée plus facile, elle n'avait que ses mots, ses histoires du temps passé.

Et moi, en conséquence, je n'ai rien pour faire danser ces souvenirs de ma mère, pas de bribes de chansons pour accrocher mon récit, de ces refrains ou fragments qui sont dans la tête de tout le monde, grâce auxquels ma mère pourrait séduire, femme ordinaire de ce pays, et exister comme elle le voulait si fort, mais ce regret est ma folie à moi, ma mère ne voulait séduire que ceux qui vivaient autour d'elle, ses enfants surtout, et si elle avait eu l'idée d'apparaître un jour dans un livre, ce n'est certes pas celle que je fais apparaître ici, pas cette vieille femme dans ses pathétiques derniers efforts, comprendrait-elle ce que je fais, le comprends-je moi-même, *"do not go gentle into that good night"* (n'entre pas en douceur dans cette bonne nuit)…

Do not go gentle, mother ! Quel étrange renversement, moi qui voulais qu'elle s'en aille sans bruit, sans lutte, sans souffrir (c'est-à-dire sans me déranger), et maintenant je bataille contre cet évanouissement, je m'acharne pour ramener sa lutte sous les yeux des vivants… et je n'ai pas de mélodie, que des mots qui me gênent, n'accrochent que de pauvres objets et des instants disparates, et aucun n'a d'élan pour s'élever, s'enlacer à d'autres et nous emporter, elle

174

et moi, dans un grand chant, un vrai roman. Ils secouent la tête, refusent obstinément, *do not want to go gentle into a novel*, rétifs…

J'apprends à connaître en moi la répulsion, le rejet, le mur dressé. Je marche dans mon quartier où se mêlent de nombreuses communautés d'origines diverses, ils m'exaspèrent tous avec leurs simagrées culturelles, que m'importent ces cultures pour lesquelles ce qu'était ma mère n'est rien, n'existe pas. Je lis les romans dont on parle, les survole sans joie, les referme avec ressentiment, ma petite vieille mère n'y aurait aucune place, et la télévision, tant de jeunes gens qui papotent à longueur d'émission, comme s'ils étaient nés à l'intérieur de l'écran, étalant avec aise leurs menues opinions, eux qui ne savent rien. Rien de ma mère.

Une mandoline, pourtant.

Elle possédait une mandoline, de forme élancée, bois fin et cordes tendues sur un boîtier joliment décoré, en parfait état. Accrochée sur un mur ou un autre, dans les diverses maisons et appartements qu'elle a habités. Je ne l'ai jamais vue entre ses mains, je ne sais pas comment cet objet est entré dans sa vie, à quelle époque, si elle savait en jouer, si elle en a joué. Je ne lui ai pas demandé, jamais pensé à le demander (ou ne m'en souviens-je plus ?).

Objet gracieux, si insolite chez nous, fait pour la musique… et muet.

Plus personne pour répondre à mes questions.

Dans la mandoline est peut-être enfermé le chant que je cherche, le chant de ma mère, à tout jamais enfermé sous le bois, inaccessible, et moi errant dans un territoire sans musique, dans une plaine aride semée de tous ces cadavres de ma mère, relevant des restes de chair, ramassant des bribes de vêtements, des objets dépareillés, reconstituant un champ de bataille déserté, quêtant des héroïsmes négligés, et je délivre des médailles frappées par moi seule, hisse des drapeaux dont nul ne se soucie, fais résonner de brèves fanfares de phrases... cette guerre qu'a livrée ma mère est ordinaire, si universelle qu'elle est invisible, elle n'a ni gloire ni héros, ne compte que des défaites, ne peut avoir que des vaincus, innombrables, toute l'humanité depuis le début des temps.

Pourtant je l'entends ce chant de la vieillesse de ma mère, d'une femme ordinaire de ce pays, livrant le plus banal de tous les combats, jusqu'au bout essayant de subjuguer sa mort, dans ce duel irrémédiablement solitaire, et c'est comme si je grattais cette mandoline muette, ne tirant sous mes doigts que de tout petits grincements, presque effrayés dans le silence, vagissements d'un enfant juste né, qu'il me faut apprendre à faire grandir dans ces pages, que comme toute mère je voudrais protéger, puis garder encore un peu contre moi avant de le laisser se joindre à la vaste cacophonie du monde pour y disparaître à nouveau.

Par hasard, d'une lointaine cousine, j'apprends que ma mère peu avant sa mort lui avait écrit, citant en entier une chanson, lui demandant si elle s'en souvenait (saisie, je n'ai pas demandé laquelle), et je retombe dans une perplexité sans fin.

SALLE A MANGER

La salle à manger est la grande épreuve. Là se retrouvent tous les résidents (ces dames surtout), les serveuses, le chef cuisinier, le directeur. Il faut s'y montrer, prouver qu'on tient le coup, qu'on est toujours aux commandes. Pas de "mamies" ici : la résidence n'accepte pas les personnes dépendantes et la salle à manger est le lieu où se vérifie, en public, la légitimité de votre présence. Deux fois par jour, ma mère y passe un examen, "on est jugé, tu sais". On peut s'exonérer du repas du soir (des plateaux-repas sont à disposition), mais pas trop souvent, pour ne pas soulever d'interrogations.

De votre comportement à la salle à manger dépend la manière dont vous serez traité. "On n'est pas en famille ici, il faut se faire respecter."

J'aime bien, moi, descendre à la salle à manger. Ce n'est pas une cantine, mais une véritable salle de restaurant. Joli drapé des rideaux, nappes, petits bouquets à chaque table, ça me requinque. Les dames sont très soignées, les messieurs un peu moins (on leur pardonne, ils sont veufs).

177

L'une des dames a plus de cent ans, dit-on, elle traverse la salle avec l'aide d'un déambulateur, mais elle porte un tailleur, du rouge à lèvres, et ne se laisse pas faire si le plat n'est pas à sa convenance. La serveuse file doux et le directeur s'empresse. Ces dames impressionnent terriblement ma petite mère, c'est à cause d'elles que nous lui avons acheté ce collier en or qui s'aperçoit à peine dans l'échancrure de sa robe.

Examen de passage, donc.

La préparation commence très tôt, il faut s'inscrire la veille pour le lendemain, remplir une fiche de menu pour soi et son invitée.

"Tu es bien sûre que je n'ai pas oublié ?" Sur un ton d'excuse, presque suppliante, à cause de la foudre sur mon visage (j'en ai marre de ce rabâchage). "C'est que je n'ai plus ma tête, ma pauvre petite, vous ne voulez pas le voir." Pas de fiche, pas de repas, ou beaucoup d'embarras, déranger les cuisines, se faire remarquer. "Tu ne comprends pas, toi…"

Elle ruse, avec moi, avec "eux". Dès que j'ai les yeux tournés, elle trottine à l'accueil, demande à vérifier la fiche de son invitée. "Ma fille est distraite…" Avec un joli sourire aux hôtesses. Que je sois distraite, moi, c'est normal, j'ai beaucoup d'activités, je suis un écrivain, il faut bien qu'elle ait de la tête pour deux. J'ai le droit de faire des bêtises, puisque je ne suis pas vieille. Le soupçon ne peut m'atteindre. L'hôtesse tire deux fiches du classeur, donc nous sommes bien inscrites, ma mère a gagné la première manche.

Deuxième manche : l'heure. Elle a peur d'être en retard, de déplaire aux serveuses, au directeur, etc. L'heure juste, ce sera trop tard, il y aura la queue devant l'ascenseur. Ne pas viser midi pile, mais plutôt midi moins le quart. C'est-à-dire, dès onze heures (bientôt dès dix heures), songer à se préparer. Il faut se donner de la marge, un grand volant de temps, la précipitation est l'ennemie. Dans la précipitation, le faux pas guette, qui révélera que vous n'êtes plus dans le coup, que vous ne tenez pas la cadence, que vous n'êtes plus au pas des vivants.

Récemment j'accompagne mon fils dans un tour des agences immobilières. J'imaginais que nous y consacrerions la matinée, mais il s'est coincé une petite heure entre deux rendez-vous. Tout le temps de notre recherche il parle sur son portable, très vite je suis sonnée (la circulation, les manœuvres insensées pour se garer, les discours des agents immobiliers, et ces interlocuteurs du portable qui se glissent à tout instant entre nous), mon fils voit mon énervement "mais je ne suis pas en vacances, maman"… En écho j'entends une autre phrase, mon frère et moi, à notre mère "nous ne sommes pas à la retraite, nous !". Mon fils conduit, donne des rendez-vous, répond à ses collaborateurs… et se cherche un appartement tout en même temps. Pas de problème pour lui, pour moi c'est trop, trop de choses à la fois et trop vite. Le tapis du temps a glissé, je suis en train de prendre la place de ma mère (ou j'anticipe, ce qui a presque le même résultat).

Troisième manche, la présentation. Ma mère (enfin habillée) se passe un coup de peigne, passe la pointe d'une lime sous ses ongles, approche brusquement son visage de la glace. "Dis donc, qu'est-ce que tu mets, toi ?" Comment ça ? "Là, tu sais bien", dit-elle en tapotant ses joues.

Maquillage, ce n'est pas un mot de son vocabulaire. Je trouve, sur une étagère du meuble de toilette, un poudrier. C'est moi qui le lui ai acheté, il y a longtemps, il est quasiment intact. Je sors la houppette, elle me tend son visage comme une enfant, je poudre de-ci de-là. Cette pantomime m'attendrit et me révulse en même temps, mais il est certain qu'elle va bien, puisqu'elle me fait jouer "au maquillage", je m'en contente et poudre avec application. Elle ferme les yeux, plisse le nez, pousse de petits cris. Je sais bien ce qui lui arrive, elle veut et ne veut pas, "mais qu'est-ce que tu me mets donc ?". Je réponds que cette chose s'appelle de la poudre compacte. "C'est que je n'y connais rien, moi ! Toi, tu connais mieux."

Quel vieil opprobre sur les filles qui se maquillent (les filles de mauvais genre) l'empêche encore aujourd'hui, à quatre-vingts ans passés, de prendre son poudrier elle-même, de faire ce que toutes les femmes font ? L'opprobre ne me vise pas moi, je suis d'une autre génération, je suis "jeune".

Un des cérémonials de mon enfance : nous nous préparons à sortir, nous avons déjà nos manteaux, au dernier moment ma mère revient à la glace du vestiaire, sort du tiroir un bâton de rouge, en passe un coup rapide sur ses lèvres, comme à contrecœur, comme une corvée, puis se frottant les lèvres l'une sur l'autre enlève presque toute la couche de rouge. Après quoi, ayant satisfait à deux devoirs contradictoires, celui qui intime aux femmes de la ville un certain apparat lorsqu'elles se montrent en public et celui qui interdit aux femmes sérieuses d'attirer l'attention sur elles, elle était prête à sortir.

Autrefois, les femmes ne se montraient pas "en cheveux". J'ai cherché cette expression dans le dictionnaire. Je croyais qu'elle signifiait "cheveux dénoués, libres". Selon mon dictionnaire, elle signifie "nu-tête". Pourtant l'expression m'évoque une femme échevelée, un peu égarée, ou négligée. Ma grand-mère, comme toutes les femmes du village, portait un petit chignon bien serré sur la nuque. Lorsqu'elle le défaisait le soir pour tresser sa natte de la nuit, j'étais étonnée de la longueur de cette tresse. Chignon le jour, tresse la nuit : le poil toujours tenu. Puis la mode de la ville s'est insinuée. Mon grand-père, que la guerre avait fait voyager, soutenait cette évolution. Très jeune, ma mère a donc eu les cheveux courts. Pas à "la garçonne" ni au naturel, mais en "indéfrisable", le poil court certes, mais tenu, signalant clairement qu'on était allé chez le coiffeur. Il s'agissait bien de la même chose que dans l'épisode du rouge à lèvres : se construire une façade pour le regard d'autrui.

A tout cela, je raccroche le précepte qui émerge de mon enfance : "garder la face". Impératif catégorique. Ne pas montrer son dedans ni son derrière. Lorsque mon premier livre a été accepté par un éditeur, comme autrefois quand j'avais eu une bonne note et la claironnais dès le bas de l'escalier, aussitôt j'ai pris mon téléphone pour annoncer la nouvelle à ma mère. "C'est ce que tu voulais, tu es contente, mon petit ?" Je n'ai pas pris garde au manque d'effusion dans sa voix. Un jour, cherchant mes livres chez mes parents, je ne les ai pas vus. Ils étaient derrière la rangée des volumes reliés que leur envoyait chaque mois un club du livre respectable. Les romans de leur enfant étaient cachés derrière la façade sobre et régulière des livres en uniforme.

Trouvaient-ils ma littérature mauvaise ? Cette idée ne m'a pas effleurée. Ils étaient gênés, mais pour une autre raison. Je ne gardais pas la face, n'aidais pas à consolider la façade qui était l'œuvre de leur vie et l'expression de leur morale. Je montrais ce qui ne doit pas l'être.

Un autre souvenir. Au sanatorium où mon père donne bénévolement des cours, il y a une exposition de peintures. Ma mère est obligée de s'y montrer et elle m'y emmène. Nous avons chez nous des reproductions de peintures célèbres, ainsi que quelques originaux du peintre de la ville (une obligation). Tous représentent des paysages, avec quelquefois des personnages indistincts, comme dans *Le Champ de coquelicots*. Ma mère possède aussi un livre sur Corot, son nom de jeune fille est inscrit sur la première page. Je m'attends donc à voir des paysages et traîne les pieds derrière ma mère, qui fait ses politesses à droite et à gauche, somme toute c'est une agréable sortie pour elle. Puis je la sens qui se raidit. Nous sommes entrées dans la salle d'exposition, il y a des fusains sur les murs, des nus. Un homme très beau, très volubile, s'attache à nous, nous parle de la mission de l'art. Il s'adresse tantôt à ma mère tantôt à moi, mais avec la même intensité exaltée. Ma mère jette des regards inquiets sur les côtés, je sens qu'elle essaye d'échapper à cette mainmise extraordinaire. Elle tente quelques phrases polies d'excuse (pressées, devons partir, très intéressant, merci) que l'homme n'entend pas. Bientôt il ne s'adresse plus qu'à moi et c'est ma mère qui me suit, et moi je suis cet homme et je regarde ses fusains, je n'ai jamais rien vu de semblable, cela ne dure pas, ma mère réussit à nous piloter vers l'extérieur. Elle est contrariée, je pense que c'est parce qu'un homme (j'ai treize ans) s'est "intéressé" à moi. Ou bien redoute-t-elle la contagion de la tuberculose ? Dans l'incertitude, je file doux. Sûrement il y aura orage. Mais ma mère ne me gronde pas. Elle a l'air de ruminer en elle-même. Puis : "Les artistes ne sont pas des gens comme nous. Il faut s'en méfier, tu sais."

Mais alors Corot, et Manet ? Peut-être faut-il se méfier des seuls artistes vivants. Mais alors le peintre de notre ville, qui est venu tant de fois chez nous pour le portrait de mon petit frère et de moi (lui : petit col rond et raie sur le côté, moi : anglaises et nœuds de velours rose) ? Il ne nous faisait pas de discours sur la mission de l'art. Il nous demandait seulement de poser immobiles et travaillait en silence. Peut-être n'était-il pas un "artiste" ?

Je n'ai pas posé de questions à ma mère. J'ai gardé ces choses en moi, dans ce fond trouble où elles ne cessent de se mêler, de copuler, s'accroître ou se dévorer. Je sais qu'elles sont toujours là, ces phrases que m'a léguées ma mère, je n'ai cessé de me battre avec elles, on ne peut les éradiquer, virus dormants qui ressurgissent lorsque l'organisme est faible.

Tout de même j'ai une théorie. Je pense que pour ma mère les gens honnêtes, ordinaires, les gens "comme nous" sont ceux qui savent "garder la face". Réservés, pudiques, respectueux des autres et restant à leur place. Les artistes sont d'une autre race. Ils montrent leur derrière. Si j'avais écrit une thèse, quelque ouvrage semi-savant sanctionné par la faculté, sûrement il aurait trôné devant les livres reliés sur les étagères du salon. Mais j'avais écrit des romans, j'avais fait du nu, comme l'artiste du sanatorium. Ma mère ne s'y était pas trompée. Sous l'habillage de la fiction, sous le flou des fusains, elle avait très bien vu de quoi il retournait.

Je suis souvent surprise de la pénétration de ma mère. Nous traversons de longues périodes où chacune défend des enjeux obscurs. Arc-boutée sur ma position, je suis persuadée d'avoir raison. Puis soudain, tel un éclair, une phrase d'elle me foudroie. Je sors de ces affrontements louvoyants la queue basse, abattue. Au mieux, je me dis que sa lucidité ne me vaut rien. Elle a raison dans son monde... qui n'est pas le mien. Ainsi avançons-nous sur notre chemin commun, marquant nos points tour à tour, dans cette lutte où il ne peut y avoir ni victoire ni échec puisque le lien ne peut être rompu, que seule sa mort le rompra, sa mort qui sera l'image avancée de la mienne.

J'ai poudré son visage, elle l'a dépoudré furtivement, nous sommes prêtes pour la salle de restaurant. Non, il manque encore quelque chose. Elle cherche son sac, marmonne "je perds la tête". Litanie éperdue, affolement, pause dans la progression.

Pourquoi diable un sac, alors qu'il n'y a qu'un étage à descendre ? Pour mettre la clé, le mouchoir. "Je peux te trouver un cordon, tu porteras ta clé au cou, comme ça tu ne la perdras pas." Et le mouchoir ? "Dans ta poche !" "Non, non, dit-elle, tu ne comprends pas."

Si, je comprends. Le sac, c'est un bouclier. Elle ne peut affronter le monde les mains vides. Elle est démunie désormais, plus de mari, de position sociale, plus rien à marchander dans le redoutable panier de crabes. Quel panier de crabes ? direz-vous. Cette salle à manger d'une maison de retraite, où se dirigent à petits pas incertains quelques inoffensifs vieillards ? Si vous dites cela, c'est que vous ne savez rien. Ces vieillards, vous les voyez de l'extérieur, leurs traits adoucis par la cellophane, leurs paroles étouffées par la cellophane, leurs gestes ralentis par la cellophane. Mais sous ce film trompeur, tout est comme ailleurs, que croyez-vous ! Ce qui se passe dans cette salle à manger (dernier et unique lieu social), c'est exactement ce qui se passe dans vos salles à vous, salles du personnel, de réunion, de conseils d'administration, salons, etc. Il y a les classes sociales, les dominants et les dominés, ceux qu'on admire et ceux dont on se gausse, ceux qui sont aimés et ceux dont on se méfie.

Il y a des territoires à conquérir (vue sur la salle ou sur la rue), d'autres à éviter (le pilier, le courant d'air, la mauvaise compagnie). Il y a les choses à dire et ne pas dire, les regards à interpréter, la tenue vestimentaire à doser. Et les mouvements d'opinion (pour/contre le cuisinier, le directeur, les serveuses), les tactiques à choisir (conciliation, patience, rébellion, obstination). Sous la cellophane, c'est encore le monde.

Et il y a ce que vous ne connaissez pas, une table vide un jour, son occupant disparu, "évacué" de nuit (je le sais maintenant) ou à quelque moment où les couloirs sont déserts, conspiration du silence, chacun fait semblant de ne rien voir, loi secrète, absolue. Sous la cellophane, la mort est l'hôte souverain que nul ne doit regarder.

J'ai acheté à ma mère un petit sac noir, avec une longue bride à croiser sur la poitrine, ce qui laisse les mains libres, car il y a aussi la canne à tenir. Une pochette en fait, jolie et de marque. "Non, non, je ne peux pas mettre ça." Pourquoi ? "Mais enfin, je ne peux pas." Plus tard : "Tu crois que je peux mettre ça ?" Plus tard encore : "Ton petit sac, je le mets toujours, tu sais." Et aux voisines : "C'est un cadeau de ma fille." J'ai appris à me taire, acquiescer, et patienter.

Le sac était à sa place habituelle. Agitation puis tranquillisation, rituel d'exorcisme, tout va son cours.

La voici donc prête, un soupçon de poudre sur les joues, un soupçon de rouge sur les lèvres, clé et mouchoir dans la pochette, pochette en bandoulière, canne à la main. Elle hésite encore un instant, jette un œil critique sur moi. Certains jours je m'en tire bien, d'autres plus mal. "C'est à la mode, ces chaussures ?" Cela signifie qu'elle "trouve à redire", mais elle le dit en biais, car je suis grande maintenant, avec les grands enfants on ne fait pas ce qu'on veut. Mais moi aussi, j'ai appris à biaiser, avec les vieux parents on ne fait pas ce qu'on veut. Ma tactique : le médical. Imparable. "C'est à cause de mon talon, elles ne font pas mal."

L'affaire peut s'arrêter là, parce que nous sommes en retard (c'est-à-dire pas assez en avance), ou parce qu'elle a déjà la tête ailleurs, en bas, dans le restaurant où elle va apparaître en public, son public de fin de vie (le directeur, les dames, etc.).

Mais parfois, oh parfois attention ! Au dernier instant, à la dernière seconde, nous pouvons glisser dans une vieille ornière. "Ah ? Tu as mal au talon, toi ?" Impossible de laisser passer, c'est ma mère tout de même, une mère connaît les maladies de son enfant. "Mais enfin, tu le sais bien !" "Oh non, mon petit, tu te trompes !"

La doucereuse, l'hypocrite, elle ne m'accordera pas cela, elle veut être la seule au royaume de la souffrance. Drapée dans le manteau de la vieillesse, elle ne veut que de gentils pages guillerets autour d'elle, les misères des autres n'ont pas le droit d'exister, broutilles à côté de la noble et haute misère de sa vieillesse. Miroir, dis-moi qui est la plus malheureuse... C'est elle bien sûr, puisqu'elle est vieille.

Une avalanche se déverse sur moi, où passent comme des spectres toutes les angoisses de mon enfance, les terrifiantes migraines de ma mère, son visage blanc ravagé dans le noir de la chambre, mon père effrayé, errant de pièce en pièce, d'autres spectres plus récents, son visage durci, hagard, lorsqu'elle nous appelait en pleine nuit dans sa maison vide, silhouette misérable en peignoir dénoué et cheveux de gorgone, sa voix haineuse, égarée "je suis seule, si seule, les enfants sont égoïstes", ces nuits terribles, obscènes.

"Oh non, ma petite !" Mais je ne suis pas dupe, figure-toi, madame ma mère. Il n'y a que toi qui as le droit de souffrir, tu nous as tenus par la migraine, etc., maintenant tu nous tiens par la vieillesse, il faudrait être un monstre pour dresser son petit malheur à côté du tien ! Nous ne voulons pas être des monstres, nous ne le pouvons pas, car pour compliquer le tout derrière chacun de ces spectres grimaçants il y en a un autre, un visage aimant, si tendre, si fatigué, penché sur nous, veillant sur nous.

"Mais enfin, tu sais bien, ma maladie de l'os, tu m'as même accompagnée à l'hôpital." L'hôpital, preuve irréfutable. "Ah oui. Mon pauvre petit, tu n'as pas de chance."

Allons, on s'en sort, cette fois encore.

A la dernière minute, ma mère dira autre chose. Ce sera à l'instant où elle tire la porte, où toutes les vérifications sont faites, où elle décide qu'elle est prête, qu'aucun détail ne manque à la façade si soigneusement construite. "Je veux te faire honneur", dit-elle.

Alors tout en moi se retourne. Je suis comme un lapin attrapé. Je marche à côté d'elle dans le couloir qui mène à l'ascenseur. Ce couloir fait une dizaine de mètres, il est sombre car il n'a pas de fenêtre sur l'extérieur. Je pourrais le décrire dans tous ses détails, la lumière basse des appliques, les portes closes, l'odeur si particulière, je n'arriverais pas à décrire ce qu'était cette marche dans le couloir aux côtés de ma mère, en ces dimanches de mes visites à la résidence de retraite.

Nous arrivons à l'accueil, deux ou trois dames attendent devant l'ascenseur. Ma mère salue à droite et à gauche, me présente pour la énième fois, "ma fille", puis enfin s'immobilise.

Un instant de repos, une trêve. Je la regarde. Son visage est paisible, détendu. La sorcière de l'angoisse a desserré ses griffes. Ma mère est heureuse. Elle a réussi son examen de passage de la matinée, elle a sa fille avec elle, elle entre solidement préparée dans la grande roue du monde. Elle est dans la vie.

Je regarde avec émotion ses petites boucles d'oreilles du temps jadis, le collier que nous lui avons offert et dont on n'aperçoit qu'un maillon ou deux. Je regarde la veste de laine bleue, la robe droite qu'elle et moi avons eu tant de peine à choisir, les bas clairs sur ses jambes encore fines, les ballerines plates qui sont les seules chaussures qu'elle peut mettre. Je la trouve jolie, ma mère. Je la trouve bien plus jolie que les autres dames plus brillamment vêtues.

Moi aussi, j'ai réussi mon examen. Ma mère est heureuse. Je m'abandonne au décor agréable de la résidence, le halo rose que diffusent les tentures, les canapés, le bouquet de l'accueil, le sourire des hôtesses. Je m'abandonne au babil poli des voix, aux arabesques convenues des questions et réponses. Il y a de la douceur sous la cellophane.

Nous attendons devant les portes de l'ascenseur, et ce ne sont plus les portes de l'Hadès, mais celles d'un jardin fleuri d'Arcadie, elles s'ouvrent, elles nous emportent dans leur doux glissement, et l'ascenseur nous dépose devant la grande salle où, entre les tables nappées de rose, nous allons avancer ma mère et moi, au bras l'une de l'autre, comme deux mariées, parées et souriantes, sous les salutations des dames, jusqu'au maître de cérémonie, le directeur, en costume sobre et cravate, là-bas au fond, devant lequel nous ferons révérence et qui nous donnera son absolution, pour que commence ce grand moment, cette apothéose, le repas du dimanche dans la salle à manger de la maison de retraite, de la maison de vieillesse.

Et je ferai semblant de ne pas voir la table vide, celle de monsieur B.

DAMES

Avez-vous déjà fait des courses avec votre fille adolescente, ou votre mari, et vous êtes-vous entendu asséner (vous venez de trouver le vêtement dans lequel, enfin, vous vous sentez parfaitement à l'aise) : "Ah non, ça fait dame !"

Ça fait dame. Condamnation définitive. La "dame" n'a pas droit de cité. Pas sexy, la "dame". A rayer du paysage. Pas physiquement bien sûr, on n'en est plus là, on est sympa, simplement on ne voit pas. Une vaste catégorie de la population soudain devient invisible.

Durant mon passage sous la cellophane, mon regard s'est considérablement modifié.

Les dames de la résidence de vieillesse. Sait-on ce que cela coûte à des jambes raides d'enfiler des bas, à des pieds déformés de supporter des chaussures, à des mains qui tremblent de se laver, se coiffer ? Et le ventre affaissé auquel toute jupe est trop serrée, et le soutien-gorge que les vieux bras ne peuvent plus agrafer, et il y a bien pire, assez, assez...

Les femmes de la campagne, autrefois, on ne leur en demandait pas tant. Leur vieillesse avait la beauté du vieux bois, mais les femmes de la ville, les femmes d'aujourd'hui, que voulez-vous qu'elles fassent ?

J'en viens à vanter à ma mère un modèle d'afféterie bourgeoise qui ne me plaît pas plus qu'à elle.

Elles sont héroïques, ces vieilles biques qui obsèdent ma mère, voilà ce que je veux lui faire dire, certaines fois, à la salle à manger. Un jour, je lui cloue le bec : "Tu voudrais qu'elles descendent en peignoir ?" Marre à la fin. Je les admire, moi, ces dames. Dans la détresse de mes week-ends, j'ai plaisir à les voir. C'est faire preuve de courage, c'est montrer du respect pour les autres, que de passer du brillant sur sa vieille peau, c'est pour nous épargner, nous les vivants venus de l'autre côté de la cellophane, et si elles en font trop, si cela nous paraît ridicule, c'est qu'elles ne voient plus très bien, ne savent plus très bien. Vous croyez que c'est facile, vous, de tenir en ordre un tas de vieux os qui ne demandent qu'à foutre le camp ?

Le problème des vieux, c'est qu'ils font peur. Le problème des vieux, c'est qu'ils n'ont plus de papa et de maman, pour les accepter tels qu'ils sont, les prendre à cœur et au sérieux. J'imagine des squelettes se pencher sur eux, leur faire risette, admirer leur peau qui tient si bien encore, mais les encourager, les aider à s'en défaire petit à petit, à grandir, à devenir squelettes. Le problème des vieux, c'est qu'il n'y a que des enfants autour d'eux.

Dans ma rue, il y a longtemps, une vieille très courbée, seule au monde (donc obligée de descendre les six étages pour son maigre marché). Elle avait du rouge sur les joues, deux grosses taches qui lui donnaient l'air d'un clown. Ça faisait rigoler, moi aussi je riais. Il ne m'était pas venu à l'esprit qu'elle n'y voyait plus. Il fallait beaucoup de rouge pour qu'apparaissent deux taches pâles sur le halo vague que devait lui renvoyer son miroir, et le prix de la boîte de blush, et la souffrance pour casser son cou vers le miroir. Elle le faisait, chaque jour, pourtant. Mais ça dérapait...

Un tel effort, la façade, dans la vieillesse. Un tel immense effort, la simple décence, dans l'extrême vieillesse. Je ne laisserai personne se moquer.

CORBEAU

On se monte la tête, au loin, concernant le vieux parent. On reconfigure toute l'affaire, on remet les choses à plat, une histoire plus jolie se dessine, faite à façon. Il n'y a plus qu'à mettre en œuvre.

Pendant le voyage en train, j'ai réfléchi. Cette ville de province où je me rends si réguliè-rement depuis des années n'est pas qu'un ensemble de bâtiments anonymes autour d'une maison de retraite. C'est une vraie ville, à n'en pas douter. Il s'y passe tout autant de choses qu'ailleurs. Ma belle-sœur par exemple y a une vie riche, pleine d'activités et de sorties en tous genres. Je décide que c'est une ville étrangère à explorer, à faire explorer à ma mère. Je dois, je vais faire sortir ma mère de dessous la cellophane.

Et j'inviterai même une "copine", l'une des dames que nous appelons "l'ange" tant elle est gentille.

Le musée de la Porcelaine, pourquoi pas, louer une voiture, solliciter un passe pour le parking de la résidence, où est le problème, tu n'es pas manchote que je sache, tu as fait mille choses plus redoutables, cesse de ruminer, casse l'enchantement mauvais, tout est possible, il suffit de garder les yeux ouverts, ne pas céder à la torpeur.

Le danger, inscris-le bien dans ta tête, le danger se présentera au moment du passage, quand tu arriveras sur la place, en vue des fenêtres de la résidence, rappelle-toi bien ce qui se produit alors, les rues bourdonnantes reculent, tu es à découvert, les murs roses s'avancent vers toi, c'est à cet instant précis, n'oublie pas, tends tes muscles et ta volonté, lui ne t'oubliera pas, le guide invisible, il sera là, prêt à prendre les bagages de ton âme, ne lui remets rien, fends l'air comme si tu ne l'avais pas vu, et surtout, surtout, refuse le philtre hypnotique qu'il ne manquera pas de te tendre. Là à cet endroit précis, en vue des fenêtres.

Le musée comme but, la voiture à louer, mes mains sur le volant, moteur soumis ronflant avec entrain, et ma mère bien ficelée à côté de moi dans la ceinture de sécurité, j'y suis déjà. L'idée de ces belles activités me met de bonne humeur. Si les choses se passaient mal auparavant, c'était de ma faute. Pas assez de distance, pas assez d'autorité. C'est à moi de prendre l'initiative, je suis une adulte, elle n'est qu'une vieille femme sans force. L'ancienne malédiction qui me transforme en fillette apeurée dès que je pénètre en ces lieux est une simple illusion, entretenue par moi seule, par lâcheté et habitude. La voix maternelle ne tonne que dans de vieilles effilochures de l'esprit que je traîne derrière moi depuis l'enfance, comme ces peluches frayées jusqu'à la corde dont on ne sait pas se débarrasser. Donc, faire enfin et pour de bon le grand ménage.

La fermeté que j'essaye d'appliquer aux entreprises de ma vie, je vais l'appliquer aussi avec ma mère, ce n'est pas interdit que je sache, et sûrement c'est ce qu'elle attend de moi, que je la soulage de son vieux rôle de commandement, que je prenne les choses en main à sa place, pour elle. Comment n'y ai-je pas pensé plus tôt, quel pleutre j'ai fait, quelle veulerie. Je l'ai laissée se débattre seule avec une visiteuse à taille de géante et mentalité de bébé (moi), gros ballon mou venant s'amarrer à son corps exténué, et vacillant à chacun de ses vacillements.

Fini, l'enfantillage. Tu te redresses, tu décides et tu agis, gentiment mais fermement, qu'on ne sente en toi nulle hésitation, nul espace de corps, d'esprit ou d'âme demeuré en son stade archaïque, vestige non évolué, marais, vase, larve. Fini.

Ferme ta fontanelle et fonce, c'est pour son bien.

Je suis tout attendrissement pour ma mère, et gonflée de résolution nouvelle (attendrissement bien maté, et résolution nouvelle tenant la laisse).

J'arrive sur la place de la résidence, en vue des fenêtres. Sur les bancs, je reconnais quelques dames. Ma mère n'est pas parmi elles. Je guette la fenêtre, le rideau qui va se relever. Le rideau ne se relève pas. Sans doute m'attend-elle dans l'un des jolis fauteuils roses de l'entrée, ou errant un peu nerveusement de l'un à l'autre. Elle n'y est pas non plus. Je salue les personnes de l'accueil, elles me saluent. Regard neutre de part et d'autre. Neutre de ma part, car je suis dans l'expectative, n'ose trahir ma mère en posant des questions dans son dos, espère seulement le sourire officiel qui me rassurera. Neutre de leur part, car elles n'ont le droit de fonctionner que sur deux modes : sourire quand l'état du parent résident est bon, neutralité quand l'état du parent résident est mauvais. L'état de ma mère aujourd'hui n'est donc pas bon.

Dans le couloir, ce couloir aveugle qui mène à sa porte, je reprends mon souffle avant de frapper. Je m'encourage, bats le rappel de mes résolutions : ne pas se laisser embobiner, faire entrer la vie de force, emporter le morceau.

Dos droit et sourire hissé au mât, allons-y, je frappe.

Rien. Hésitation, tendre l'oreille. Pas d'exclamations agitées ni de trottinement hâtif derrière la porte. Tant pis, entrer. L'appartement est plongé dans l'obscurité. "C'est toi ?" La voix, éteinte, vient de la chambre. Ma mère est couchée et mon cœur sombre dans ma poitrine.

Je sens la ville littéralement se recroqueviller comme un papier sous l'effet d'une flamme noire, je sens les murs tomber en cendres, les cendres s'épaissir. Nous sommes ma mère et moi au cœur d'un monde de cendres, dans une cave où le soleil n'entrera plus jamais.

Je dis "je vais ouvrir les fenêtres", "non, non", murmure-t-elle, sa voix est chargée de cendres, s'élève à grand-peine de l'épaisse couche qui tapisse son lit. Le nuage soulevé à la suite se répand. Ténu, envahissant, il s'insinue dans ma gorge. Je respire de la cendre, j'étouffe.

La fenêtre, ouvrir, replier les volets. Les dames assises dehors bavardent sur leur banc.

L'une d'elles porte un tailleur rose vif qui répond aux roses du parterre. Ce tailleur rose me fait l'effet d'une décharge électrique. Je me retourne. "DEBOUT", je crie.

Une volonté mauvaise m'anime. Debout, debout ! Tu n'es pas grabataire, tu n'as aucune maladie, ni hémorragie ni paralysie. Tu fais semblant, tu fais des histoires.

"Tu es si dure", murmure la forme gisante.

Je suis dressée, dans le jour de la fenêtre. Elle est couchée dans l'obscurité de son lit.

Nous sommes sur une lande aride, les couleurs se sont éteintes, il n'y a plus ni fleurs ni maisons, il n'y a pas un être humain, le soleil nous tourne le dos. Ce lieu est indescriptible, en cet instant il ressemble à cette chambre, mais c'est une illusion, un décor fait par des mots qui ne nous concernent plus. Les mots qui pourraient décrire ce qu'il est réellement sont introuvables, ceux d'un lieu que ne marquent pas les cartes, visité de paysages qui ne coïncident qu'approximativement avec lui.

Ce lieu pourtant m'est familier. J'ai toujours su qu'il existait, qu'il m'attendait. Parfois il me semble qu'il est le seul réel, et tous les chemins que j'ai pris n'étaient que des détours, des passe-temps. Tout chemin ne peut que me ramener ici, en ce point.

En hiver, dans la campagne, les labours sont d'un brun profond, presque noir. Des volées de corbeaux s'abattent sur la terre, avec la couleur de laquelle ils se confondent. Les corbeaux semblent l'émanation de la terre, des mottes qui se soulèvent, battent les ailes, essaiment dans l'air gris. A la lisière des champs, les bois forment un mur sombre dans le brouillard.

J'ai vu de tels paysages souvent, quand j'étais enfant, dans la Creuse.

Il y a un corbeau entre ma mère et moi, en cet instant, perché sur une branche nue, qui nous observe. Au-dessous, une dalle de granit, sur laquelle ma mère est couchée. Je ne vois pas ses traits, ils sont absorbés dans la pâleur de l'air, dans la pierre de la dalle, dans la texture de la terre. Je n'ai pas besoin de voir ses traits, je sais que c'est ma mère et sa voix m'enveloppe tout entière. Sa voix est douce, fondue à ma chair. Elle m'appelle, cette voix que j'ai toujours entendue au fond de moi. Elle veut que je me couche auprès d'elle, sur la dalle, que je la prenne dans mes bras et me mêle à elle, pour l'accompagner, pour que nous soyons ensemble là où elle est, là où elle va. Elle veut mon amour, elle veut ma mort.

Mais je suis debout. Et ce que je crie, c'est "debout, debout". La rage écume en moi, ma force, ma survie. La voix si douce, je la déchiquette. La forme pâle qui s'accroche à moi, je la brutalise, l'insulte. Nous sommes dans un combat sans règles, sans humanité, je mets la haine dans ma lutte, je tire, tire et je sens que je gagne, la forme gisante se décolle de la dalle, se relève, elle est obligée de me suivre, nous nous éloignons de l'obscur terrain, petit à petit je cesse de crier, de tirer. Le soleil est revenu, il y a des couleurs. Ma mère est debout, je l'aide à s'habiller.

Les dames dehors sont toujours sur leur banc, dont celle qui porte le tailleur rose vif. Je fouille dans la penderie, cherche la robe la plus neuve, et la veste bleu pervenche qui va avec. "Mets cela", dis-je. Ma mère ne résiste plus, elle est encore pâle, mais je vois bien que les cernes creusés sous ses yeux s'effacent.

Je la coiffe, elle prend sa canne, s'appuie sur mon bras et nous sortons, enfin, à l'air libre, sur la place où les rosiers se dressent dans les parterres, où le soleil chauffe les dalles du sol, où les bancs nichent dans l'ombre tiède.

Les dames se poussent pour nous faire de la place. Je me laisse bercer par le clapotis du bavardage, contente de percevoir au milieu des autres voix celle de ma mère et la mienne propre, qui font les bruits qu'il faut. Rémission. Je me repose.

CONTRAT

Un thème nouveau se fait jour. Je fais la sourde oreille, peut-être disparaîtra-t-il de lui-même.

Aucune hystérie dans l'air. Rien de compliqué comme la robe. Une simple petite affaire à régler, qui pourrait d'ailleurs bien nous faciliter la vie… plus tard, à nous les survivants.

Que se passe-t-il en moi lorsque le thème glisse à la surface, comme un reptile entre deux herbes ? Ma pensée s'absente de mon corps, mon corps fait le mort. J'espère ainsi tromper le reptile : il n'y a personne, passez.

"Tout de même, cela se fait, ma petite."

Elle revient à la charge, plusieurs mois. "Il faut régler ses affaires", un jour elle pleure "c'est la dernière chose que je vous demande"… Je ne sais pourquoi je résiste. Je crains le ridicule peut-être, l'obscénité d'une affaire de sous et de clous réglée entre mère et fille par-devers un tiers patelin, de sexe mâle.

Voilà l'urne à souvenirs qui s'ouvre et me souffle une scène oubliée. J'ai onze ans. Ma mère a pris rendez-vous pour moi chez un médecin. Pas dans la ville où nous habitons, mais dans la grande ville la plus proche. Un médecin spécial. Ma mère fait son affairée, je ne pose pas de question. L'homme est imposant, blouse blanche à même la peau, rien à voir avec notre docteur de famille. Je me tiens coite. Ma mère semble très à son aise dans son rôle de mère. Le spécialiste et elle parlent à mots couverts. Marchandage obscur.

On m'indique une cabine où je dois me déshabiller, puis une sorte de table. Dans le nuage blanchâtre de cette scène à peine rehaussé du blanc plus net de la blouse du spécialiste, ma mère est devenue invisible, mais je sens qu'elle est là. Le spécialiste annonce qu'il va faire quelque chose, j'entends la voix de ma mère, "ne t'inquiète pas". Ça ne fait pas mal en effet, ça fait bien pire. Je suis touchée en un endroit jamais éprouvé de mon corps. Mon corps est une sorte de ballon allongé dont je connais la seule surface, à l'intérieur il y a de l'air ou de la mousse, quelques flaques d'eau, rien d'intéressant en somme, mais voilà qu'apparemment on peut y entrer, par le bas, entre les jambes, et qu'il y a des choses dedans. Mots couverts à nouveau entre le spécialiste et ma mère. Plus tard j'apprends que le ballon (impossible de dire "je" dans cette affaire) est en train de "se former".

Là se place une deuxième phase en complète opposition avec la première. Le spécialiste a vu quelque chose sur l'une de mes omoplates. "Avez-vous l'intention de faire du cinéma, mademoiselle ?" Je murmure que non (le cinéma ne relève pas de notre univers). "Alors il faudra le faire enlever." Ce qu'il a vu est un grain de beauté. Je suis flattée. Que j'aie un grain de beauté (j'entends "beauté", beauté en graine), qu'on puisse m'imaginer "faire du cinéma" redonne forme et tenue au ballon. Le spécialiste s'est adressé exclusivement à moi, pas à ma mère, soudain réduite à néant. Je me perçois comme une personne. J'ai une vie, un destin à moi.

Troisième phase, le spécialiste écrit une ordonnance. Ma mère est de nouveau très à l'aise (l'incident du cinéma l'a déconcertée un bref moment), elle domine ce sujet, elle domine cette situation. Dans l'échancrure de la blouse du spécialiste, on aperçoit sa poitrine, velue, et dans l'ouverture des manches de grandes mains fortes. Il y a, dans sa présence physique, une façon qui ne ressemble en rien à celle de mon père (mon père, homme très vêtu, cravate toujours). Ma mère est dans un état gazeux : volatile, instable. Volubile aussi. Un élément nouveau en est la cause, insaisissable, à dose infime, mais qui altère la composition de l'air. Dans l'air, il y a du sexe. Objet obscur de la transaction, je ne bouge pas d'un poil. De tout cela, à l'époque je ne sais rien. Je sens seulement une étrange obscénité. Ma mère, l'homme, moi.

Et nous voilà, des années plus tard, ma mère, l'homme et moi, dans la boutique des pompes funèbres. J'ai cédé. Par ce radieux samedi matin, nous sommes sorties dans nos plus beaux atours, serviette et dossiers à la main, comme de véritables femmes d'affaires.

J'emploie peut-être le mot "boutique" à tort. Boutique, cabinet, agence, quel mot était sur l'enseigne ? Espace, peut-être, espace funéraire. On évite les connotations intempestives, ce qui pourrait évoquer l'argent (boutique), la maladie (cabinet), les entourloupes (agence). Espace, c'est aéré, spacieux, sans frontière et sans contenu. Espace céleste ? Ça fait chinois, fils du ciel, etc. Postvie ? Ça fait post-it. Stop, arrête, retourne près de ta mère, fais ton devoir.

L'homme, ma mère, moi. L'homme est totalement aimable. Il est aimable de face, de dos, de profil, en transparence, sur l'intérieur comme sur l'extérieur, on pourrait le découper en tranches, le passer à l'IRM, on ne trouverait pas une parcelle de non-amabilité. Il est plutôt sexy (je ne suis plus la fillette ahurie de jadis et pose désormais prioritairement, en face d'un homme, la question du sexe). Mais pour compenser le léger excès de virilité et maintenir la neutralité sexuelle du lieu, voici qu'arrive une petite dame ronde et avenante, assistante ou associée.

Ma mère expose son but : éviter à ses enfants une corvée pénible. Les deux autres hochent la tête. Moi, qui représente ici "les enfants", moi l'enfant, je baisse les yeux. Tout ce qu'on fait ici est donc pour moi, pour mon bien. Intérieurement, je me tortille. Extérieurement, je me tiens comme il faut. Retour d'anciennes situations : parent/professeur/élève. Le parent expose, le professeur opine, l'enfant se tait. Ou bien parent/propriétaire/étudiante : le parent présente la jeune étudiante au propriétaire de la chambre à louer. Il me vient à l'esprit que je suis plus âgée que les deux personnages qui nous font face de l'autre côté du bureau. Je pose mon menton dans ma main droite, dans une attitude de profonde attention, en fait pour cacher le tressautement de mes lèvres.

Les lèvres, le menton. Il semble qu'il y ait là une quantité de petits nerfs incontrôlables qui s'excitent en tous sens à la première occasion. Lutins sous-cutanés, vieux farceurs toujours à l'affût, ils se manifestent quand je voudrais être de marbre : séance photo pour la presse, conférence, interview, etc. J'ai trouvé cette parade : enfouir leur lieu de prédilection (le menton, les lèvres) dans ma main repliée. Là ils peuvent tressauter à leur aise, ils restent invisibles. Par chance, le front et les yeux m'obéissent.

Fille, que nous racontes-tu là ? Oublies-tu ce qui se traite en ce lieu ? Reprends-toi.

Nom marital, nom de jeune fille, prénom, date de naissance, lieu de naissance, mariage. Une identité, expédiée en quelques mots. Gêne intolérable pour l'enfant. La mère, l'être multiforme, omniprésent, tout-puissant, l'Etre en soi, épinglée tel un insecte sur la planche de l'identité sociale.

Pire : ce bref résumé des étapes officielles de sa vie la met à égalité avec moi. Ma mère a été un nourrisson, elle est sortie braillante des entrailles d'une autre femme, elle a été jeune fille, elle a palpité pour un jeune homme, elle a été jeune mariée, a fait l'amour... Je suis obligée de voir tout cela en vrac, saisi comme au zoom puis reculé vertigineusement et plaqué sur un lieu précis que je connais si bien : un village minuscule au centre de la France. Ma mère, une femme ordinaire d'une province rurale. Il me semble qu'on m'oblige à la voir nue. J'ai honte, non pas de ce qu'elle est, mais de cela : être obligée de la voir nue.

Ma mère, elle, est à l'aise. C'est sa vie, qu'elle occupe dans toute sa surface et où elle est souveraine.

Cercueil : "Comme pour mon mari", dit-elle. A moi, en aparté, "c'est ridicule, ces cercueils de luxe". Cependant il faut de la bonne qualité : chêne clair, six poignées Vercors, capiton champagne. Echelon intermédiaire entre le meilleur

marché et le plus cher. "Tu es bien d'accord ?"
Je suis d'accord, les deux personnages sont d'accord, ma mère est contente. Elle commente, iro-
nise, rit. Elle est tout à fait comme lorsque nous
faisions quelque achat ensemble, autrefois, et
que l'affaire se présentait bien. Dégagée de l'inquiétude (le long siège de ma résistance), soutenue par ma présence, satisfaite de ma docilité
et de l'attention entière et sans réserve des deux
commerçants, elle est gracieuse, drôle, elle se
montre sous son plus beau jour.

Stupéfaite (une fois de plus), je réalise : mais
elle fait du charme. Encore plus fort : elle a du
charme, un charme fou. Les deux autres sont
subjugués, je suis subjuguée. Pour un peu, nous
prendrions le champagne et nous taperions sur
l'épaule.

Je lutte pied à pied contre l'horrible connivence qui s'installe. J'ai envie de prendre ma
tête à deux mains, de la secouer. Est-ce possible, ce qui se passe là, en ce moment ? Ce cercueil, c'est pour enfermer ma mère à l'intérieur,
c'est pour la mettre dans un caveau, c'est pour
sa mort. *Do not go gentle into the night.* Cette
phrase du poème de Dylan Thomas revient
marteler en moi. Dans quel piège suis-je
tombée, pourquoi dois-je accepter cela ? Le
contrat d'obsèques, c'est un contrat sur la tête
de ma mère, et ceux-là en face en recueilleront
le prix. Oh maman, partons d'ici, nous saurons
bien, mon frère et moi, faire ce qu'il faut en
temps voulu. Partons !

Mais je suis prisonnière du charme. J'approuve
mécaniquement, je ne pense plus rien. Je la
regarde. Je suis tout entière absorbée en elle.

Plus tard nous allons toutes les deux nous
installer à la brasserie qui est à côté de la

résidence. Flot régulier de la circulation, feu rouge, orange, vert, passants ordinaires, clients ordinaires, serveuse aimable, la ville fonctionne, nous fonctionnons. Cette brasserie est notre oasis. Nous y venons quand "tout va bien". Ma mère est fatiguée, mais rayonnante. Elle pose sa canne contre son siège, commande un café, "un vrai". Cela me rassure. Le café était l'un de ses plaisirs à elle, qu'elle s'autorisait, que personne du temps où elle était numéro deux de la famille (mon père : numéro un, mon frère et moi : petit peuple soumis) ne discutait. Puis est venu le temps des peurs, peur de l'insomnie, de la tachycardie, de l'excès, café à éviter… Qu'elle ne pense pas à ces peurs aujourd'hui me revigore. En moi, admiration réticente, d'autant plus réticente qu'elle est à vrai dire éperdue. Ma mère a affronté la mort, l'a matée. Bravo, maman !

Café bien noir, sans lait.

"Prends quelque chose de bon, prends une glace", me dit-elle. Non, juste un verre d'eau fraîche. Elle insiste. Tout cela est formidable. Le détour par la mort nous a renvoyées en plein dans la vie. Nous avons buté sur le mur et rebondi loin en arrière, dans le temps où elle était jeune et moi une gamine à choupette, sa fierté. Elle tient à me faire une faveur, pour un peu elle m'achèterait une sucette, un cornet-surprise. "Ça fait grossir", dis-je, à l'aveuglette. "Comment ça ! Tu n'es pas grosse, qu'est-ce que c'est que ces idées…" Une bonne vieille querelle sur un bon petit sujet sans gravité, quelle belle journée. Signe que "tout va bien". Je vis désormais dans un univers de signes, qu'un mécanisme toujours en éveil ne cesse d'interpréter. Pour couronner le tout, nous oublions la canne. Autre bon signe (dans ce contexte du moins, dans un autre il pourrait être mauvais, l'interprétation des signes est une science complexe).

Plus tard, j'appellerai mon frère. Il est entre deux opérations. "Nous sommes allées aux pompes funèbres, nous avons fait un contrat d'obsèques." J'explique en gros : "Même chose que pour papa." Mon frère écoute. "Bien", dit-il sobrement.

Dans la retenue de sa voix, j'entends bien autre chose que le harassement habituel. J'entends un trouble profond, secret. Je vais me lancer dans le paragraphe sensations et impressions (de nous deux, je suis celle qui "raconte", qui met des friselis de mots autour des actes), mais je me tais. Silence.

Souvenir ou vision. Nous sommes enfants, après avoir joué au bas de la prairie, nous avançons dans un chemin bordé de coquelicots. Je tiens mon petit frère par la main. Le chemin s'enfonce sous le couvert. Un tapis de mousse éteint le bruit des pas. Soudain, devant nous, une étendue d'eau sombre, cernée de joncs immobiles. La saison a changé, l'air est froid, brumeux. Nous ne connaissons pas ce lieu. Nous restons interdits, serrés l'un contre l'autre.

Le contrat d'obsèques. "Bien", dit mon frère. "Oui", dis-je. Silence. Ainsi vont nos conversations, depuis quelque temps. Nous avons peu de mots à échanger. C'est que nous avons l'oreille tendue vers ailleurs, nous sommes à l'écoute de l'inconnu.

Le contrat m'a été livré dans une pochette doublée de velours vert bronze portant en lettres d'or la raison sociale de l'établissement. Je l'ai mis dans un tiroir, puis un autre, puis n'importe où. Il n'y avait pas de bonne place pour cet objet. A la fin des fins, je ne savais plus où il était. Pourtant je l'ai retrouvé aussitôt lorsque le jour est venu. Dédoublement. Une moitié de mon cerveau cherchait à le perdre, l'autre moitié, Petit Poucet pas fou, le suivait à la trace, prenait des repères, notait le lieu de son dernier passage.

Après le cimetière, ma mère enterrée et tout bien réglé, j'ai eu cette impulsion de me tourner vers elle, pour la remercier. Nous n'avions eu qu'à suivre les instructions. Elle nous avait bien aidés.

Ou bien…

Ce contrat, en définitive, n'était-ce pas pour exister encore, continuer d'assurer sa domination, sa présence, pendant le temps de l'enterrement et même après ? Pour être là, avec nous.

"Pas de fleurs", était-il spécifié dans un paragraphe. Ni le jour de la cérémonie, ni par la suite. Mais j'en veux, moi, des fleurs. Cela me fait du bien d'en acheter, de les déposer sur la tombe, de les arranger. Ces gestes soulagent, apaisent.

Je l'ai fait. Me tracasse maintenant parce que mon bouquet a dû pourrir. "Ça marque mal, ces bouquets en décomposition", avait-elle dit.

Ainsi, même alors qu'elle est morte, loin, bouclée dans son cercueil avec la grosse dalle de granit sur la tête, nous poursuivons nos tortueux affrontements.

CHEMISE

"Je ne veux pas que vous ayez à m'habiller."
Je fais semblant de ne pas comprendre.

"C'est moi qui ai habillé vos grands-parents, c'est trop dur." Habiller, c'est-à-dire mettre au mort un costume, à la morte une robe. La façade jusque dans le cercueil. Ma mère a renoncé à cette façade, ne veut pas nous imposer l'horrible corvée, mais tout de même elle tient à la chemise de nuit neuve. Après bien des déplacements, celle-ci a fini par aboutir (avec les pantoufles neuves) dans une petite valise, poussée derrière le canapé, "pour que vous ne la cherchiez pas". Mais parfois, tout le contenu revient dans l'armoire. En ce cas, la chemise est celle qui est en haut de la pile, ou bien à part sur l'étagère, ou ailleurs.

Elle m'envoie régulièrement le relevé de la dernière position de cette chemise. J'ouvre l'enveloppe et, s'il en tombe un fragment de papier, découpure de cahier ou dos d'imprimé, aussitôt je sais de quoi il s'agit. Je parcours à peine les lignes, glisse le fragment dans le tiroir, ou dans un dossier, ou ailleurs.

Ces bouts de papier, cela veut dire que là-bas dans la résidence de retraite, la cellophane s'est resserrée, plus de force pour une vraie lettre, pour le faire-semblant de la vie ordinaire, je la vois s'emparant du premier papier venu, y jetant ses quelques notes topographiques, le lançant vers moi, SOS, bouteille à la mer, appel.

Je devrais les ranger scrupuleusement, selon leur date d'arrivée, en un lieu consacré à ma mère, de façon à pouvoir rapidement mettre la main dessus. J'arrive bien à m'imposer cette discipline pour les papiers officiels. Je n'y arrive pas pour les papiers concernant la chemise d'enterrement. Leur format (tous différents) me perturbe, ils ne se plient à aucun ordre, glissent ou dépassent, ils sont porteurs de trouble, je les pousse dans le premier endroit venu, plus tard je rangerai mieux, plus tard je lirai.

Leur fréquence se multiplie, je ne sais même pas s'ils se contredisent ou se confirment, ce sont des avis de décès qu'elle m'envoie, elle ne veut pas que j'oublie qu'elle va mourir, elle n'a plus rien à raconter, plus rien à faire vibrer, sa vie est tout au bout, vidée de substance, plus de quoi remplir une lettre, ce qui fait la lettre d'une mère, observations, recommandations, menues nouvelles. Mais elle est encore là, sous la cellophane, presque un fantôme, elle essaye d'attirer mon attention... ma chemise de morte, n'oublie pas où je l'ai rangée, ne m'oublie pas, ma fille, ne m'abandonne pas.

Chemise de nuit de coton, à petit col et ouverture boutonnée, longue jusqu'à mi-mollet, imprimée de petites fleurs discrètes. Elles se ressemblent toutes. Je m'étonne de n'avoir jamais eu à en acheter pour elle (de même pour les culottes, les bas, les combinaisons). Pudeur.

Comment faisait-elle alors qu'elle pouvait à peine marcher, vers la fin ? Je pensais à la robe, je ne pensais pas aux sous-vêtements. A la mercerie voisine, peut-être, ou dans le catalogue de Damart. J'ai vu ce catalogue dans son appartement, n'y ai pas prêté attention, mon aveuglement. Acheter une robe, la conduire dans un magasin de robes, c'était une distraction, un plaisir finalement, mais les sous-vêtements, ceux qui touchent la peau, qui portent les odeurs de la vieillesse, les compagnons intimes du corps âgé de ma mère, je n'y ai pas pensé.

Ces papiers disparates me parlent d'égarement, le mien, le sien, me causent une irritation, un eczéma mental, je refuse d'entendre parler de la chemise, je lui en veux de brandir ce morbide drapeau, ce linceul, je me dis que nous la trouverons bien le moment venu, son appartement n'est pas si grand. Tant et si bien que lorsque le moment est venu, ma mère est partie à l'hôpital dans je ne sais laquelle de ses chemises de deuxième ou troisième ordre, à l'hôpital elle était nue sous le drap, elle est morte dans l'intervalle d'une de nos courtes absences et quand nous sommes arrivés, les infirmières l'avaient déjà habillée.

Dans l'appartement plus tard, nous avons retrouvé la valise de son grand départ, derrière le canapé. Quelle chemise avait-elle donc sur elle, dans le tiroir de la morgue ? Pas la neuve, puisqu'elle était là, sous nos yeux, dans la pitoyable valise, soigneusement pliée à côté des pantoufles neuves. Nous lui avons manqué au dernier moment. Elle était dans le coma, ne pouvait plus exercer sa sourcilleuse, son inquiète vigilance. Qu'aurait-elle dit ? "Ça ne fait rien, mes pauvres enfants, tout cela n'est que sottise." Ou bien : "Mon seul vœu, vous ne l'avez pas respecté, que penseront mon mari, mes parents, mes grands-parents, lorsqu'ils me verront arriver ainsi, en chemise de tous les jours, négligée, comme une qui n'a pas de famille pour veiller à sa dignité ? J'ai le dos tourné un instant et vous faites des bêtises. Je m'absente un instant, et tout va à vau-l'eau. Vous ne m'avez pas défendue quand j'étais faible, vous n'avez pas dressé le dernier rempart."

Elle pourrait dire ceci, ou tout aussi bien cela. J'ai eu deux mères, n'ai jamais su laquelle avait le dernier mot. Les deux parlent sans cesse dans ma tête. Lorsque c'est la première, la mère de tous les pardons, je vais bien, je vaque à mes occupations dans un monde normal où ma tristesse est à sa juste place. Lorsque c'est la seconde, la mère du reproche irréparable, je vais comme une aveugle sur le chemin de mes occupations, je trébuche, n'ai pas l'esprit à ce que je fais. Tout le temps dans ma tête, je discute avec ma mère, discute avec moi-même.

Cet égarement lorsqu'on reçoit le coup de téléphone fatidique, annonçant l'hémorragie massive, le coma. Les tâches à accomplir, formalités, démarches, qui vous happent, vous bousculent, et vous courez, comme décervelé, comme un poulet sans tête. La Mort vous donne des coups de trique, ah ah, ce n'est pas encore votre tour, mais pan, voilà déjà en attendant, on va voir comment vous vous y prenez, vous les présomptueux vivants, vous qui faites tout pour m'oublier, mais je suis là, moi la Mort, et je vous balance quelques coups sur la tête, pour rire, pour vous voir battre des ailes et trébucher et filer doux devant moi. Cette petite gigue que je vous fais danser, c'est mon hors-d'œuvre avant le plat de résistance, avant que je n'aille m'attabler pour de bon, et déguster à loisir la chair de celle que j'ai attrapée aujourd'hui, et qui est votre mère, ah ah !

Un tremblement constant. Pour toutes ces choses de famille (naissances, décès, successions), à toutes ces bornes officielles ma mère était là, prenant les décisions, donnant les directives, l'ordre de ralliement nous était notifié de sa main, de sa voix, et nous accourions, dociles et obéissants. Or voici qu'une notification nous a été envoyée, voici que nous accourons à la borne indiquée, mais ma mère n'est pas là, au rendez-vous officiel. C'est à nous de prendre la relève, de faire ce que font les adultes. Mais nous ne savons pas. Maman, que faut-il faire ? Elle n'est pas là. Le pire, c'est que toute cette commotion est pour elle, nous tremblons de n'être pas à la hauteur. Pour ce dernier, ce capital examen, important entre tous, ma mère ne nous aidera pas, comme elle l'a toujours fait. Mais elle nous jugera.

Sur son lit d'hôpital, intubée, perfusée, elle râlait. Une respiration engorgée, il fallait toutes les heures aspirer les mucosités, puis bientôt le râle reprenait. Sonner l'infirmière ? Mais cela ne faisait que quelques minutes qu'elle venait de passer. Ma mère n'aurait pas voulu que je sonne de nouveau. "Ces malades qui appellent tout le temps, c'est insupportable. Il faut suivre les règles, quand même !" J'ai passé cette semaine au chevet de ma mère inconsciente à compter : l'intensité de ses râles, les pulsations de son cœur, les intervalles entre les passages de l'infirmière, les soubresauts de son corps (légers : je guette, violents : j'appelle), mon temps de parole (toutes les cinq minutes, dire bien fort à son oreille "maman, je suis là"), mon temps de caresse (sur le bras, la main, souvent), mon temps de repos (une cigarette toutes les demi-heures, dans le hall en bas), mon temps de somnolence, mon temps d'absence.

A un moment, elle a bâillé, très fort, un énorme bâillement, sans retenue, comme quelqu'un de vraiment bien fatigué, comme une bonne travailleuse après un gros boulot, et qui se laisse aller (ma foi tant pis, hein, personne ne le verra), c'était drôle et délicieux, la spontanéité d'un corps bien vivant. J'ai ri, je l'ai embrassée, c'était comme une récompense, je gloussais en moi-même, oh maman, quel bâillement !

Comme je remontais d'une de ces absences que je m'étais autorisées, l'infirmière m'a appris que c'était fini. Je me suis assise auprès du cadavre, j'ai posé mon front contre son bras et j'ai arrêté de compter. J'étais soulagée.

Mon frère était plus bouleversé que moi. Nous n'avons pas été en synchronisation. Avant, pendant que je comptais au chevet de ma mère, il passait, rapide, affairé (il travaille dans le même hôpital), soulevait ses paupières, regardait sa charte. Calme, maître de lui. Après, alors que je goûtais mon soulagement, il ne cessait de répéter, par à-coups : "Elle est si blanche." Et plus tard, encore, dans la voiture, au cimetière : "Elle était si blanche." Lui-même blanc comme un linge. Lui qui a vu tant de morts.

Ma mère s'en est allée dans une vieille chemise. Comment pourra-t-elle séduire ceux qui l'attendent, là-bas de l'autre côté ?

Je me console : au moins n'était-elle pas défigurée. Ma grand-mère avait eu des tubes dans les narines, la gorge. Son visage en était resté déformé, presque méconnaissable. Ma mère se reprochait cette inutile torture, nous avait fait jurer de ne pas lui imposer ces tubes. Elle a eu le minimum. Son visage dans les draps du cercueil était net et détendu. Juste un infime rictus de la lèvre, que j'ai pu redresser. Elle était bien coiffée. Le col de la chemise était propre, correctement boutonné. "Je vous fais honneur, mes enfants ?" Oui, maman.

TÉLÉPHONE

Dès qu'il sonne, c'est elle. Si j'entends une autre voix, je suis surprise, presque gênée. J'ai hâte d'en finir avec l'interlocuteur. Il faut que la ligne reste ouverte, je suis sûre qu'elle attend, qu'elle se ronge en écoutant l'insupportable bip-bip qui lui barre la route. Mais dès que mon interlocuteur a raccroché, je branche le répondeur. Presque aussitôt après, j'entends la sonnerie et sa voix qui s'enregistre sur la bande.

Elle s'est très vite adaptée au répondeur-enregistreur, mais elle lui parle comme s'il était moi en personne, son message emplit la bande jusqu'au bout, elle recommence, parfois jusqu'à deux ou trois fois, puis s'emporte et raccroche au milieu d'une phrase.

Une fois je l'ai entendue pleurer, la voix était si ravagée que je n'ai pu l'écouter, j'ai retiré la bande, je me promettais de l'écouter plus tard, quand mon cœur se serait apaisé. Je n'ai jamais réussi à le faire.

J'ai voulu que nous fixions des heures régulières pour ces appels, que le tumulte de nos rapports se plie à un horaire, que nous y mettions un semblant d'ordre. Cela a marché un temps, cela ne marche plus.

A toute heure, parfois très tôt le matin. "Il m'est arrivé quelque chose, non vraiment, c'est terrible..." Ni bonjour, ni introduction, il me faut sauter directement dans le tourbillon. Elle a perdu un papier, elle s'est trompée de date, elle a oublié de remettre sa fiche, on l'a changée de place au restaurant, elle a reçu une lettre... Chaque événement, si menu soit-il, cause une commotion, un bouleversement. Elle est terrifiée, affolée. Le passé seul est sûr, lui appartient. Tout ce qui vient du présent est menaçant, la dérange, la fatigue.

Elle se plaint ouvertement maintenant. "C'est moi qui faisais tout pour ta grand-mère" (les impôts, les papiers de la ferme, les repas, la toilette) et en effet je revois ma grand-mère, secouant la tête avec insouciance, sûre de son bon droit et de la tradition, "à mon âge, on n'est plus bon à rien, tu sais", à sa fille donc la charge de sa vie, et plus loin je vois mon arrière-grand-mère assise sur le banc de pierre, les poules picorant autour de sa jupe noire.

"Qu'est-ce que je vais faire...", répète-t-elle. Elle dit qu'elle sent des hémorragies dans sa tête, que ses doigts n'ont plus de sensation, qu'elle se paralyse. Je téléphone à mon frère, qui y court. L'examen clinique ne révèle rien. Elle est mécontente. "Vous ne voulez pas voir..."

Un temps, elle veut aller à l'hôpital. C'est sa rengaine, son refrain constant. Mon frère est embarrassé. "Je peux la prendre dans mon service un ou deux jours..." Guère plus, elle n'a pas les bons symptômes, la maladie répertoriée, qui donne accès au lit d'hôpital. Elle est indignée, "tout le monde va à l'hôpital, moi seule je n'ai pas le droit"... Elle a travaillé toute sa vie, payé ses cotisations, jamais triché, et voilà qu'on lui refuse ce qu'on accorde à de bien moins méritants, aux malins qui savent tirer sur les ficelles, tromper la Sécurité sociale, à ceux qui justement n'ont pas un fils médecin.

Pour la première fois, elle est amère contre ce fils. L'avoir soutenu dans ses longues études, accepté ses horaires insensés, ses visites en coup de vent, avoir sacrifié son fils unique à l'hôpital... et que ce même hôpital la refuse !

L'hôpital, un refuge. Elle veut remettre son corps aux autorités, n'en avoir plus la charge. Pour cela, il faut être une malade, personne ne veut voir qu'elle est une malade.

Elle revient à la charge, gémit : "Même quelque temps, quand même..."

Aller à l'hôpital, ce serait aller en vacances, prendre un congé sur la vieillesse, je réalise qu'il y a très longtemps qu'elle n'a pas quitté la résidence de retraite, je réalise que même piégé sous la cellophane, on a besoin de changer d'air, de paysage. Les travailleurs de la vieillesse ont besoin de vacances, comme les autres. Mais où, comment ? Elle ne veut ou ne peut aller nulle part. Seul l'hôpital, son île de rêve, son hôtel idéal, son club Méd.

Après son accident de voiture, il y a bon nombre d'années, elle avait dû passer plusieurs semaines dans une maison de convalescence. "J'étais heureuse là-bas..." On lui mettait le genou dans une sorte de piège pour le plier, elle souffrait beaucoup. Mais les autres patients aussi souffraient, ils s'encourageaient avant les séances de rééducation, prenaient des nouvelles ensuite, se rendaient visite en robe de chambre, petite communauté courageuse et solidaire. C'est ce qu'elle voudrait retrouver, une communauté de gens semblables à elle, soudée par l'épreuve, alors on a tous les courages.

Ce que je comprends, c'est qu'elle était jeune encore, sa maladie était celle de son genou, pas de son être entier, et le but n'était pas la mort, mais la guérison.

Il n'y a pas de communauté pour cette maladie qui n'en est pas une, pour l'extrême vieillesse. Chacun est seul, les autres vieillards sont au mieux inutiles, au pire ils sont nuisibles, les peaux usées se frottant l'une contre l'autre ne peuvent réconforter la chair, au contraire découvrent d'autant plus vite le squelette.

Il n'y a pas de refuge pour les gens qui n'ont ni alzheimer, ni démence sénile, ni paralysie, ni maladie, qui n'ont que la vieille vieillesse. Il n'y a pas de nurserie pour les grands vieillards, pas de berceaux pour ces bébés ridés, pas de mères pour ces enfants desséchés, pas de biberon pour leur très grande soif.

J'offre des solutions. Elle ne m'écoute pas. "Et après, après… ?" Une voix que je reconnais à peine, la voix de l'alien, dans la *terra incognita*.

Quelque chose de nouveau se passe sous la cellophane, des ondes venues d'un territoire inconnu, qui la pénètrent, la modifient, nous n'avons plus le même langage, elle n'est plus ma mère, les règles du jeu ont changé, celles que je connaissais si bien, le jeu tortueux de la séduction, il n'y a plus de règles, plus de jeu, plus de séduction, je suis perdue, elle aussi.

Quand le téléphone sonne aujourd'hui, je ne peux empêcher un mouvement nerveux. Elle est morte depuis deux ans, mais elle n'a pas déserté la boîte posée sur mon bureau. Ma première pensée, mon premier tremblement, c'est que je vais l'entendre. Sa voix hante obscurément le réseau téléphonique, s'il reste quelque chose de l'énergie vitale du mort, c'est dans ce réseau qu'il s'attarde.

La photo. Prise dans la résidence de retraite. Quelqu'un vient de faire un discours, une conférence, que sais-je. Ma mère a sa veste de laine bleu ciel, celle que nous lui avons offerte, c'est donc une fête. A côté d'elle, une autre dame. Toutes deux sont en train d'applaudir.

L'autre dame fait ça mécaniquement. Mais ma mère ! Elle se surpasse, elle accomplit une tâche complexe, elle applaudit au-delà d'elle-même. Elle y met une telle application, comme une bonne élève, on dirait qu'elle cherche le premier prix d'applaudissements. La question de son plaisir à elle ne l'a pas effleurée. Mais elle ne veut pas manquer à son devoir, qui est de récompenser l'effort du prochain. Je me suis trompée, elle n'applaudit pas comme une bonne élève, mais comme une mère.

Il y a bien plus, il y a ce qui me bouleverse. Je devine les cernes, profonds, terreux. Je sens la tension de son corps. Sur la photo, comme avant dans la vie, ma lecture du corps de ma mère est instantanée, irréfutable. Ce jour-là, à cette fête, elle se battait encore. Pour sa survie, pour rester dans la société des humains, sa société de la résidence de retraite, la dernière, la plus dure. Il fallait qu'elle se montre intéressée, et réactive, et intéressante, et bien habillée. Il fallait qu'elle obtienne l'adhésion des autres. Et parce que l'enjeu était sa survie, ma mère allait bien au-delà de ce qui était nécessaire.

(Le soir de cette fête elle ne descendrait pas dîner, la nuit elle serait malade, j'entendrais son appel désespéré au téléphone...)

Elle veut que je vienne, ne le veut plus, trop fatigant, de toute façon à quoi bon, "et après, après ?"...

J'ai une petite valise, moi aussi, prête pour un départ immédiat. Au téléphone, ce n'est plus sa voix que je redoute, mais une autre, une voix inconnue, qui me dira...

Elle est tombée près de son lit, à quelle heure on ne sait pas, la nuit, au petit matin ? Quand l'infirmière, ne la voyant pas à la salle à manger, est entrée dans sa chambre, elle ne s'était pas "faite belle", elle n'était pas allée chez la coiffeuse, n'avait pas passé les ciseaux sous ses ongles, n'avait pas changé de chemise.

Par terre, le bras tordu, vers la sonnette d'appel peut-être. Dans la marée obscure et boueuse qui clapote dans sa tête, elle s'indigne, "qu'on ne me voie pas dans cet état", elle ordonne, supplie "laissez-moi me laver au moins", fait son enjôleuse "une vieille dame comme moi, voyons", s'énerve "ma chemise, là, juste à côté", elle lutte, ne réussit pas, ne séduit pas. Elle dérive sur le marais empuanti, ma vieille Ophélie, ses petites mèches blanches collées par le sang, la cellophane entrée dans son cerveau, glissant, enveloppant...

Ces choses que j'écris.

Tu ne serais pas contente. Je te trahis, raconte tes secrets. Je peux bien dire ce que je veux maintenant. Les morts n'ont plus leur mot à dire.

Ce n'est pas vrai, les morts ont forcément le dernier mot, ils ne lâchent jamais prise, ils sont en vous désormais. Maman, il faut bien que j'écrive, c'est cela ma vie, comme cela que tu m'as faite. Et c'est toi qui es là, maintenant, et je n'y peux rien.

Moi non plus, je ne suis pas contente. Je voudrais bien m'ébrouer ailleurs, j'en ai assez de nous, mais il n'y a pas d'ailleurs tant que tu es là.

Tu me tiens, maman, c'est de ta faute.

Je ne vais pas, si peu, au cimetière. Tu ne me le reprocherais pas, je crois, "ces simagrées", disais-tu. Tu avais spécifié "pas de fleurs", juste veiller à l'entretien du granit.

Tu voulais bien plus de moi, tu voulais que j'aille avec toi jusqu'à ta tombe, et dedans, avec tes anciens, et tout autour les anciens de ton village, tous apparentés, rameaux et feuilles des mêmes arbres du même sol depuis le début de notre ère et bien avant encore.

Je dis cela, mais en vérité ?

Je ne sais pas ce qui se passe au fond des êtres, quand les signaux de leur corps clignotent "fin".

Tu m'as tirée si fort, pendant cette période de ta fin, tirée vers toi, séduite de toutes tes dernières forces, au point que j'en perdais le sens, à force de résister, et de te suivre, et de résister encore... Maintenant je tourne autour de cette ténèbre où je n'ai pas su t'accompagner, je tourne avec mes phrases.

Va les faire ailleurs, tes phrases, va faire ta gigue ailleurs que sur ma tombe, c'est cela que tu dis, maman, le noir sur ton visage, l'outrage ?

Peut-être pas.

"Des petites phrases courtes, ma chérie... N'oublie pas, si tu veux que les gens te comprennent."

Je ne pensais pas aux gens, je pensais à ce que j'avais à écrire, c'est tout. Toi, tu pensais à moi.

Quand je suis partie pour cette île de l'autre côté de la terre (une très longue absence), je ne savais comment le lui annoncer, je redoutais sa réaction. Mais ses yeux brillaient "vas-y, ma chérie", elle a sorti l'atlas, l'encyclopédie, elle a appris l'usage du fax.

Sa voix si tendre, son enthousiasme, "ma chérie"...

Ma mère : deux voix, deux visages. Je les entends, les vois tour à tour. Je n'ai jamais su sur quel pied danser avec elle, mais comme elle m'a fait danser, personne ne m'a fait danser comme elle.

Elle est par-dessus mon épaule, haletant légèrement, comme lorsque j'étais enfant.

Pas de fleurs, des petites phrases courtes, ma chérie.

Ouvrage réalisé par l'atelier graphique Actes Sud. Achevé d'imprimer
sur Roto-Page en septembre 2001 par l'Imprimerie Floch à Mayenne,
sur papier des Papeteries de Jeand'heurs pour le compte des éditions
Actes Sud Le Méjan Place Nina-Berberova 13200 Arles.
Dépôt légal 1re édition : août 2001.
N° impr. : 52449. Imprimé en France.